글 읽기 능력 향상을 위한

초등국어 **독해왕**

3 단계

이룸이앤비
Education & Books

모든 공부를 잘하기 위한 첫걸음
국어 독해(글 읽기)

왜? 초등학생에게 국어 독해(글 읽기)가 중요할까요?

　우리에게 전달되는 정보는 국어(문자)로 이루어져 있고 그 정보를 이해하고 습득하는 능력은 독해 능력과 깊이 연관되어 있습니다. 초·중·고교생, 더 나아가 어른이 되어서도 학습 능력의 기본은 독해 능력이라고 해도 무방할 정도입니다. 따라서 독해 능력이 뛰어난 학생은 많은 양의 학습 정보를 다른 학생보다 훨씬 쉽고 빠르게 습득할 수 있습니다.

　글 읽기 능력은 국어뿐 아니라, 사회·과학·수학·영어 등 다른 과목의 학습 능력에도 지대한 영향을 끼친다고 합니다. 많은 전문가들은 어릴 때 자연스럽게 형성된 독서 습관이 모든 학습의 첫걸음이라고 말합니다.

　초등학생 때 글을 읽고 이해하고 문제를 해결하는 능력, 즉 국어 독해 능력은 모든 공부의 큰 힘이며 평생을 좌우할 학습 능력의 첫걸음이자 디딤돌입니다.

"초등국어 독해왕" 시리즈는
학부모님들의 의견을 충분히 반영하였습니다

의견 1 → 다양한 글을 읽히고 싶어요. 설명문, 논설문, 전기문, 동화, 동시, 생활문, 기행문 등 다양한 종류의 글과 인문, 사회, 과학, 예술 등 다양한 분야의 글이 모여 있는 책이 있었으면 좋겠어요.

의견 2 → 평소 책을 좋아하지 않는 아이도 쉽고 재미있게 글 읽기 훈련을 할 수 있는 책이 있었으면 좋겠어요.

의견 3 → 글 읽기를 20~30분 정도 짧게 집중해서 하고 글을 잘 이해했는지를 점검할 수 있는 문제집이 있었으면 좋겠어요.

의견 4 → 글 읽기에서 어떤 부분이 부족한지, 또 어떤 종류의 글 읽기를 좋아하고 싫어하는지를 판단할 수 있었으면 좋겠어요.

의견 5 → 글의 주제나 요지 파악, 제목 찾기 등을 쉬운 수준부터 차근차근 단계별로 훈련할 수 있는 책이 필요해요.

의견 6 → 아이 혼자 스스로 조금씩 꾸준하게 공부할 수 있도록 학습 계획 (스케줄)을 쉽게 짤 수 있는 교재가 있었으면 좋겠어요.

의견 7 → 학부모가 아이를 지도하기 쉽게 해설이 자세한 독해 연습서가 있었으면 좋겠어요.

구성과 특징

❶ 일차별·단계별 구성

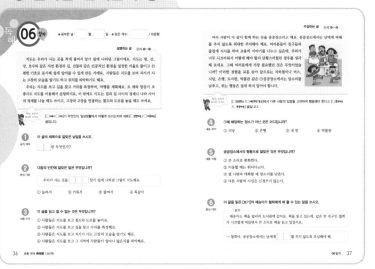

하루의 학습량을
초등학생이 집중력을
유지할 수 있는 약 20~30분
분량, 2~3개 지문으로
구성하였습니다.

❷ 다양한 종류의 글

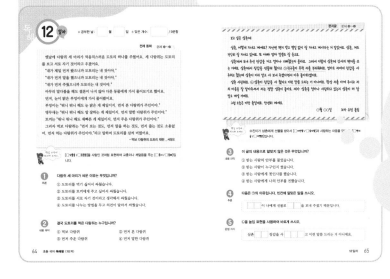

재미와 흥미를 유발할 수
있는 문학(동시, 동화, 기행문,
전기문 등)과 비문학(설명문, 논설문,
안내문, 소개문, 실용문 등) 등
다양한 종류의 글로 구성
하였습니다.

❸ 다양한 문제

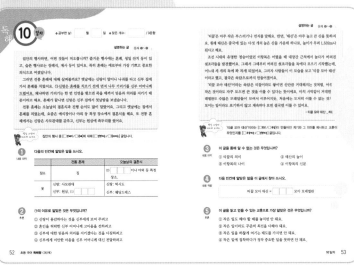

글의 중심 내용, 핵심어, 주제,
목적 등을 정확하게 이해하는지를 묻는
사실적 이해 문항과 이를 바탕으로
다른 상황에 적용, 추론할 수 있는지를
묻는 다양한 문제로 구성하여
효율적인 독해 훈련이
가능하도록 하였습니다.

❹ 핵심 요약 체크 / 한눈에 보는 약점 유형 분석

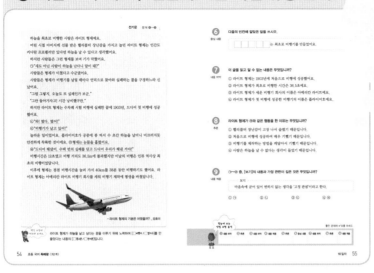

글의 핵심 정보와 글의 목적 등을 파악하여 체크하도록 하였습니다. 또 자기 점검을 통해 학생이 틀린 문제 유형을 한눈에 파악할 수 있도록 하였습니다.

❺ 어휘 학습 및 테스트

5일 동안 공부한 지문 중에서 주요 어휘들을 골라 다시 써 보고 간단한 문제로 반복 학습을 할 수 있도록 하였습니다. 어휘력은 국어 능력의 주요 지표 중 하나입니다.

❻ 정답 및 해설

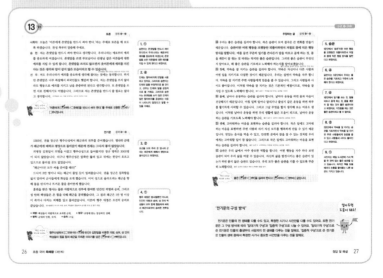

모든 문제는 해설을 통해 자세하고 친절하게 설명하였습니다. 스스로 공부하는 **학생에게는** 자기 주도 학습의 길잡이가 되고 **학부모님과 선생님께는** 학습 지도 자료로 활용될 수 있도록 하였습니다.

차례 및 학습 계획

하루의 학습량을 초등학생이 집중력을 유지할 수 있는
약 20~30분 분량, 3개 지문으로 구성하였습니다.

공부한 날

■ 정답 및 해설
   (자기 주도 학습 또는 학습 지도를 위한 별책)

학부모 및 선생님을 위한
초등국어 독해왕의 공부 지도법

"자기 주도 학습을 실천하도록 돕는 것이 중요합니다!!!"

이 책의 공부 지도법

01 조금씩 꾸준히 공부하도록 합니다.
생각날 때마다 공부하는 것은 좋지 않습니다. 매일매일 하지는 않더라도 월수금, 화목 등등처럼 규칙적인 계획을 세워서 공부하도록 지도합니다.

02 20~30분 집중하여 학습하도록 합니다.
한 번에 2~3지문을 20~30분 동안 지도합니다. 초등학생에게 조금 긴 시간일 수도 있지만 집중해서 공부하도록 하는 것이 중요합니다.

03 글의 핵심을 잘 이해했는지 점검합니다.
글을 읽고 어떤 내용인지 말해 보게 합니다. 잘 모르는 경우에는 다시 읽어 보게 합니다. 그래도 이해가 되지 않는다면 나중에 반복 학습을 할 수 있도록 지도합니다.

04 맞은 문제와 틀린 문제를 표시하도록 합니다.
맞은 문제 중에는 대충 찍어서 맞힌 문제도 있습니다. 실제로 정확하게 이해한 문제를 제외하고 다시 한번 글을 읽고 풀어 보도록 합니다.

05 어떤 유형의 문제를 자주 틀리는지 확인하도록 합니다.
독해 문제에는 여러 유형들이 있습니다. 주제 찾기, 내용 파악, 적용하기 등에서 학생이 자주 틀리는 문제 유형이 무엇인지를 파악하여 가장 적절한 해결 방법을 안내하도록 합니다.

01~05 일차

광고문   문제 ❶~❸

백 원이 모여 천 원이 되는 것처럼
책 한 권이 모이면 열 권이 되고,
어느새 책 속의 지혜가 머릿속에 쌓입니다.
독서 통장 안에 가득한 내가 읽은 책의 흔적들.
이자가 ㉠붙어 생각은 더욱 ㉡부자가 됩니다.

핵심 요약에 체크해 보세요.

[□책 / □인터넷]을 많이 보면 생각이 커지고 지혜로운 사람이 된다는 것을 알려 주는 [□감상문 / □광고문]입니다.

1
중심 내용

이 글은 무엇에 대한 광고입니까?

① 책을 많이 읽자.   ② 책을 많이 사자.

③ 책을 많이 빌리자.   ④ 책을 잘 정리하자.

2
어휘

㉠과 바꾸어 쓸 수 있는 말은 무엇입니까?

① 내려   ② 닿아   ③ 없어져   ④ 더해져

3
추론

㉡은 어떤 사람입니까?

① 돈을 아껴서 저금하는 사람

② 어려운 친구를 도와주는 사람

③ 돈이 많아서 책을 많이 사는 사람

④ 책을 많이 읽어서 생각이 풍부한 사람

세종대왕은 백성들이 글을 몰라 억울한 일을 당하는 것이 늘 안타까웠어요. 또한 백성들이 자신의 생각을 잘 전달하고, 사람이 지켜야 할 도리를 알기 위해서는 글을 알아야 한다고 생각했어요.

 ⓐ 1443년에 집현전의 젊은 학자들과 함께 훈민정음을 만들었어요. 여러 관리와 양반들은 한자가 아닌 한글을 쓰는 것이 옳지 않다고 주장했어요. 그들은 자신들만 글을 읽고 쓸 줄 알아야 한다고 생각했거든요. 처음에는 상민이나 사대부 여인들만 한글을 조금씩 사용했지만, 한글이 배우기 쉽고, 읽고 쓰기에도 편리하여 점차 널리 쓰이게 되었어요.

핵심 요약에 체크해 보세요.

[□양반 / □세종대왕]이 백성들을 위해 배우기 쉽고 읽고 쓰기에도 편리한 [□한글 / □한문]을 만든 과정을 다룬 전기문입니다.

④
중심 내용

이 글의 중심 내용입니다. 빈칸에 알맞은 말을 쓰시오.

| | | | |은| | |들을 위해 한글을 만드셨다.

⑤
접속어

㉠에 들어갈 알맞은 말은 무엇입니까?

① 그러나   ② 그래서   ③ 하지만   ④ 그런데

⑥
추론

다음은 '한글이 널리 쓰이게 된 이유'를 정리한 것입니다. 빈칸에 알맞은 말은 무엇입니까?

한글은 배우기 쉽고, 읽고 쓰기에도 □□□□ 때문에 널리 쓰이게 되었습니다.

① 쉽지 않기   ② 아름답기   ③ 재미있기   ④ 편리하기

줄넘기를 할 때에는 꼭 운동화를 신어야 해요. 점프를 했다가 발이 땅에 닿을 때, 무릎은 체중의 5배에 달하는 충격을 받아요. 그렇기 때문에 맨발로 줄넘기를 하면 무릎 관절에 이상이 생길 수도 있어요. 딱딱한 아스팔트에서는 충격이 더 심하지요.

또 줄넘기를 할 때에는 한 번에 20~30회를 뛴 다음 1~2분 동안 휴식을 해야 해요. 이것을 반복해서 총 30분에서 40분 정도 운동해요. 줄넘기를 하면 성장판에 자극을 주기 때문에 키가 크는 데 도움이 되지만, 너무 오래하면 오히려 성장판을 다칠 수도 있으니 조심해야 해요.

점프를 할 때에는 몸에 힘을 빼고 양발을 모아 수직으로 가볍게 뛰어야 해요. 점프를 할 때 발을 앞으로 뻗거나 뒤로 너무 많이 굽히면 발바닥 전체가 땅에 닿아 무릎 관절이 아플 수 있어요. 그러므로 바른 자세로 점프하며 줄넘기를 하는 것이 좋아요.

– 안전하게 줄넘기를 해요 _ 정주일 외

핵심 요약에 체크해 보세요.

우리가 일상생활 속에서 자주 하는 운동인 줄넘기를 [□안전하게 / □편하게] 하는 방법을 [□설명하는 / □주장하는] 글입니다.

⑦

글의 목적

이 글에서 설명하고 있는 것은 무엇입니까?

이 글은 □□□를 안전하게 하는 방법에 대해 설명하고 있습니다.

8 이 글을 읽고 알 수 있는 것은 무엇입니까?

내용 파악

① 줄넘기의 종류

② 줄넘기 줄의 길이

③ 줄넘기를 오래 하는 방법

④ 줄넘기를 할 때 점프하는 방법

9 줄넘기를 할 때 지켜야 할 사항이 <u>아닌</u> 것은 무엇입니까?

내용 파악

① 꼭 운동화를 신어요.

② 몸에 힘을 빼고 점프해요.

③ 딱딱한 아스팔트에서만 줄넘기를 해요.

④ 한 번에 20~30회를 뛴 다음 1~2분 동안 휴식을 해요.

한눈에 보는
약점 유형 분석

틀린 문제에 ✔표를 하세요.

❶ 중심 내용	❷ 어휘	❸ 추론	❹ 중심 내용	❺ 접속어	❻ 추론	❼ 글의 목적	❽ 내용 파악	❾ 내용 파악

01일차 15

설명하는 글   문제 ❶~❸

곤충의 몸통은 머리, 가슴, 배, 세 부분으로 나뉘어요. 다리 세 쌍과 더듬이가 있지요. 봄에 볼 수 있는 나비와 벌 그리고 개미, 파리, 무당벌레, 잠자리는 곤충이에요.

그런데 거미도 곤충일까요? 거미는 곤충과 ㉠닮았지만 곤충이 아니라 동물이에요. 왜냐 하면 거미의 몸통은 머리와 가슴이 나뉘어 있지 않기 때문이에요. 또 다리가 네 쌍이지요.

핵심 요약에 체크해 보세요.

곤충의 [□수명 / □특징]을 통해 거미가 곤충이 아니라 동물이라는 점을 [□주장하는 / □설명하는] 글입니다.

❶ 내용 파악

다음은 이 글의 내용을 정리한 것입니다. 빈칸에 알맞은 말은 무엇입니까?

거미는 곤충이 아니에요. 왜냐하면 거미는 곤충과 ☐☐ 을 나누는 방법과 ☐☐ 의 개수가 다르기 때문이에요.

① 가슴, 몸통   ② 가슴, 다리   ③ 몸통, 배   ④ 몸통, 다리

❷ 추론

이 글을 읽은 친구가 다음의 '잠자리'를 보고 알맞게 설명한 것은 무엇입니까?

① 꼬리가 긴 것을 보니 곤충이에요.
② 날개가 세 쌍인 것을 보니 곤충이에요.
③ 다리가 네 쌍인 것을 보니 곤충이 아니에요.
④ 몸통이 머리, 가슴, 배로 나뉘는 것을 보니 곤충이에요.

❸ 어휘

㉠과 바꿔 쓸 수 있는 말로 가장 알맞은 것은 무엇입니까?

① 다르지만   ② 똑같지만   ③ 비슷하지만   ④ 동일하지만

5월 10일 월요일, 날씨 맑음

제목: 강낭콩 키우기, 제15일

따스한 햇빛을 받지 못한 ㉠어두운 그늘에서 자란 강낭콩은 키다리 아저씨처럼 삐쭉 키만 자라 있었다. 줄기의 두께가 얇고, 잎도 힘이 없어 보이는 연한 초록색을 띠고 있었다.

⒜ ㉡햇빛을 받고 자란 강낭콩은 작지만 당찬 모습이었다. 굵고 힘이 있어 보이는 줄기는 푸르고 싱싱한 잎들을 거뜬하게 붙잡고 있었다.

 핵심 요약에 체크해 보세요.

강낭콩을 [□먹은 / □키운] 경험을 바탕으로 생각과 느낀 점을 솔직하게 적은 [□관찰 일기 / □기사문]입니다.

④

내용 파악

㉠이 ㉡과 다른 점은 무엇입니까?

① 키가 큽니다.

② 줄기가 굵습니다.

③ 잎이 싱싱합니다.

④ 줄기가 푸릅니다.

⑤

접속어

⒜에 들어갈 말로 알맞은 것은 무엇입니까?

① 게다가   ② 그래서   ③ 그리고   ④ 하지만

⑥

글의 종류

이 '관찰 일기'를 통해 알 수 없는 것은 무엇입니까?

① 글의 제목   ② 글쓴이의 상상

③ 글쓴이의 경험   ④ 글쓴이의 생각

　　나는 어제 선생님께서 추천해 주신 『도미 부인』이라는 책을 읽었다. 『도미 부인』은 도미 부인과 도미가 포악한 개루왕의 횡포에 굴하지 않고 부부의 사랑을 지키는 내용이었다.

　　백제의 개루왕은 ㉠의리가 있는 도미 부부의 얘기를 듣고 도미 부부의 의리를 시험하려고 하였다. 그래서 자신의 신하를 왕처럼 꾸며 도미의 집으로 보냈고, 도미 부인에게 왕이 왔음을 알린 후 궁녀로서 함께 밤을 지낼 것을 제의하였다. 도미 부인은 명령을 따르겠으니 먼저 방안으로 들어가라고 한 후 여자 종을 예쁘게 꾸며 들여보냈다. 개루왕은 이 사실을 알고 화가 나서 도미의 두 눈알을 뽑고 그를 배에 태워 강물에 띄워 보냈다. 그리고 다시 도미 부인을 궁궐로 데려와 협박하자, 도미 부인은 말을 따르겠다고 하면서 몰래 궁궐을 빠져나왔다. 도미 부인은 강가에서 갑자기 나타난 배를 타고 천성도에 가서 도미를 만났고, 다시 배를 타고 고구려 땅으로 가서 행복하게 살았다.

　　이 책의 주인공인 도미 부인은 힘이 없는 백성이지만 나쁜 왕에 대항하여 남편과의 사랑을 지키려고 노력했다. 이러한 도미 부인의 모습을 보고 나는 우리 조상들이 절개나 믿음을 중요하게 생각했다는 사실을 알 수 있었다. 또 어떠한 어려움이 있어도 자신의 사랑을 끝까지 지키려는 도미 부인의 모습을 보니 조금이라도 힘이 들면 무슨 일이든 빨리 포기하고 마는 ㉡나의 모습이 부끄러워졌다.

　　앞으로 나는 『도미 부인』 외에도 조상들의 이야기를 다룬 다른 책들을 읽기로 다짐했다. 책 속 조상들의 모습을 통해 내가 배울 점은 무엇인지를 생각해 보아야겠다.

핵심 요약에 체크해 보세요.

[□도미 부인 / □개루왕] 이야기를 읽고 줄거리와 자신의 생각과 느낌을 정리한 [□안내문 / □독서 감상문]입니다.

---

❼

중심 내용

다음은 『도미 부인』의 줄거리를 요약한 것입니다. 빈칸에 알맞은 말을 쓰시오.

　　주인공인 도미 부인이 ☐☐☐ 의 횡포에 대항하여 남편인 도미와의 ☐☐ 을 지키려고 애쓰는 내용입니다.

8

내용 파악

이 글의 내용으로 알맞지 <u>않은</u> 것은 무엇입니까?

① '나'는 『도미 부인』이라는 제목의 책을 읽었습니다.

② '나'는 어제 어머니께서 추천해 주신 책을 읽었습니다.

③ '나'는 『도미 부인』을 읽고 우리 조상들이 절개를 중요하게 생각했음을 알았습니다.

④ '나'는 앞으로 조상들의 이야기를 다룬 책을 읽으며 배울 점을 생각해 보기로 하였습니다.

 9

어휘

㉠의 의미로 알맞은 것은 무엇입니까?

① 사물이나 현상의 가치.

② 도의, 정의 따위에 어긋남.

③ 괴로움이나 어려움을 참고 견딤.

④ 사람과의 관계에서 지켜야 할 바른 도리.

❿

추론

'나'가 ㉡과 같이 느낀 이유는 무엇입니까?

① 친구와 한 약속을 잘 어겼기 때문입니다.

② 한 가지 일에 집중하지 못했기 때문입니다.

③ 늦잠을 자고 게으르게 생활했기 때문입니다.

④ 무슨 일을 할 때 힘이 들면 쉽게 포기했기 때문입니다.

한눈에 보는
약점 유형 분석

틀린 문제에 ✔ 표를 하세요.

❶ 내용 파악	❷ 추론	❸ 어휘	❹ 내용 파악	❺ 접속어	❻ 글의 종류	❼ 중심 내용	❽ 내용 파악	❾ 어휘	❿ 추론

편지글　　문제 ❶～❷

그리운 친구, 수지에게

수지야 안녕? 내가 이곳으로 전학을 온 지 한 달이 지났어. 처음으로 낯선 학교에 와서 새 친구들을 사귀었지만, 너의 다정했던 모습이 생각이 나서 우울했어. 너와 함께 밥을 먹었던 급식실, 같이 줄넘기 연습을 했던 운동장, 사이좋게 책을 보던 도서관……. 모든 것이 그리움 투성이야.

내가 전학을 오게 되자, 네가 말했지. 우리 계속 연락하며 지내고 서로를 잊지 말자고 말이야. 그리고 열심히 공부해서 서로 멋진 사람이 되어 있기로도 약속했잖아. 그래서 나는 오늘도 너를 생각하며 ㉠새로운 곳에서 씩씩하게 웃으며 열심히 생활하고 있어.

다음에 만날 땐 더 멋있어진 내 모습을 기대해 줘.

― ○월 ○일, 서희 씀.

> 핵심 요약에 체크해 보세요.

[☐**부모님** / ☐**친구**]에게 그리운 마음을 전달한 [☐**편지글** / ☐**광고문**]입니다.

1 다음은 이 편지를 쓴 이유입니다. 빈칸에 알맞은 말을 쓰시오.

중심 내용

> 서희는 자신이 다른 학교로 ☐☐을 갔기 때문에 이제는 자주 만나지 못하게 된 친구 수지에게 편지를 썼어요.

2 ㉠의 이유로 알맞은 것은 무엇입니까?

추론

① 아버지께 꾸중을 들었기 때문입니다.

② 예전보다 성적이 올랐기 때문입니다.

③ 다른 친구가 많이 생겼기 때문입니다.

④ 멋진 사람이 되자고 수지와 약속했기 때문입니다.

다람쥐처럼 쥐 무리에 속하는 동물들은 이빨이 계속해서 자라요. 그렇기 때문에 이빨을 닳게 하려고 쉬지 않고 나무를 쏠거나 딱딱한 열매를 갉아 먹는 것이죠.

그래서 다람쥐가 좋아하는 먹이는 도토리, 밤, 땅콩, 호두, 잣과 같이 대부분 껍질이 딱딱한 열매예요. ⓐ 가끔은 채소의 싹을 잘라 먹기도 하고 곤충을 잡아먹기도 해요.

가을이 되면 다람쥐는 겨울잠을 자려고 먹이를 많이 먹어 두어요. 남은 먹이는 땅속에 먹이 창고를 만들어 감춰 두지요. 그리고 배고플 때마다 겨울잠에서 깨어나 먹이를 먹으며 겨울을 나지요.

핵심 요약에 체크해 보세요.

[□곤충 / □다람쥐]의 먹이나 습성 등을 자세하게 [□주장하는 / □설명하는] 글입니다.

3
중심 내용

다음은 이 글의 중심 내용입니다. 빈칸에 알맞은 말을 쓰시오.

다람쥐는 [ ][ ]이 계속 자라기 때문에 쉬지 않고 나무를 쏠거나 딱딱한 열매를 갉아 먹습니다.

4
접속어

ⓐ에 들어갈 말은 무엇입니까?

① 그래서   ② 그러나   ③ 그러므로   ④ 따라서

5
내용 파악

이 글의 내용을 잘못 이해한 사람은 누구입니까?

① 영아 : 다람쥐는 식물만 먹어요.

② 희라 : 다람쥐는 딱딱한 열매를 좋아해요.

③ 혜진 : 다람쥐는 남은 먹이를 저장해 둬요.

④ 성준 : 다람쥐는 겨울잠을 자다가 깨기도 해요.

ㄴ○○○년 ○월 ○일, 날씨 비

　오늘 마지막 수업 시간에 우연히 창밖을 보니 비가 내리고 있었다.

　'맞다, 엄마께서 우산을 꼭 챙기라고 말씀하셨는데······.'

　늦잠을 자서 아침밥도 못 먹고 정신없이 나오느라, 엄마께서 우산을 챙기라고 하신 말씀을 깜빡했다. 그런데 수업 시간에 정말 비가 왔다. 왜 하필 이런 날에는 비가 내리는지 모르겠다.

　수업이 끝나서 집에 가기 위해 실내화 주머니를 머리에 ㉠얹고 운동장을 달리는데, 교문 앞에서 예쁜 내 우산을 들고 엄마께서 기다리고 계셨다. 빗속에서 나를 기다리던 엄마의 모습은 꼭 천사 같았다. 오늘 엄마께서 나의 수호천사가 되어 주신 것처럼 나도 다음에는 엄마의 수호천사가 되어 드려야겠다고 생각했다.

　엄마, [＿＿＿＿＿＿㉡＿＿＿＿＿＿]

핵심 요약에 체크해 보세요.

비가 오는 날 엄마께서 [□우산 / □준비물]을 가지고 학교 앞에서 나를 기다려 주셨던 것에 대한 고마운 마음을 표현한 [□기행문 / □일기]입니다.

6

중심 내용

다음은 이 글을 요약한 것입니다. 빈칸에 알맞은 말을 쓰시오.

> 　나는 아침에 늦잠을 자서 우산을 챙기라는 엄마의 말씀을 깜빡하고 학교에 갔는데, 결국 비가 내렸다. 그런데 어머니께서 우산을 들고 기다리고 계셨다. 나는 그런 엄마의 모습이 [　][　][　][　]처럼 느껴졌다.

7

어휘

⊙의 의미로 알맞은 것은 무엇입니까?

① 옆에 놓다

② 앞에 놓다

③ 위에 올려놓다

④ 밑에 내려놓다

8

내용 파악

'나'가 엄마를 '수호천사' 같다고 한 이유는 무엇입니까?

① 엄마께서 예쁜 우산을 사 주셨기 때문입니다.

② 엄마께서 우산을 챙기라고 말씀을 해 주셨기 때문입니다.

③ 엄마께서 늦잠을 잔 나를 위해 간식을 사 주셨기 때문입니다.

④ 엄마께서 교문 앞에서 우산을 들고 나를 기다리고 있었기 때문입니다.

9

추론

⊙에 가장 어울리는 말은 무엇입니까?

① 감사히 잘 먹겠습니다.

② 키워 주셔서 감사합니다.

③ 마중 나와 주셔서 감사합니다.

④ 앞으로는 지각을 하지 않겠습니다.

한눈에 보는
약점 유형 분석

틀린 문제에 ✔표를 하세요.

1 중심 내용	**2** 추론	**3** 중심 내용	**4** 접속어	**5** 내용 파악	**6** 중심 내용	**7** 어휘	**8** 내용 파악	**9** 추론

독해

광고문   문제 ❶~❸

구슬이 우르르 쏟아지듯

교실에서 우리들이 뛰쳐나옵니다.

구슬이 여기저기 갈 곳을 잃고 부딪치듯

나의 어깨를 타인에게 부딪치면 아픔을 줄 수 있습니다.

복도에 나가기 전에 잠시 심호흡을 해 보아요.

나의 배려가 상대에게는 웃음이 됩니다.

핵심 요약에
체크해 보세요.

[☐교실 / ☐복도]에서 다른 사람을 배려하자는 내용의 [☐감상문 / ☐광고문]입니다.

❶ 이 글을 통해 글쓴이가 말하고자 하는 것은 무엇입니까?

중심 내용

① 친구와 사이좋게 지내자.   ② 복도에서 질서를 지키자.

③ 교실에서 조용히 지내자.   ④ 어른들께 예의바르게 행동하자.

❷ 교실에서 뛰쳐나오는 우리들의 모습과 닮았다고 한 것은 무엇입니까?

내용 적용

① 구슬   ② 복도   ③ 교실   ④ 어깨

❸ 이 글에서 '사람이 한꺼번에 바쁘게 몰려오거나 움직이는 모양.'을 나타내는 낱말을 찾아

어휘

쓰시오.

☐☐☐

예쁜 꽃은 우리의 마음을 즐겁게 합니다. 그래서 우리는 학교에서나 집에서 꽃을 심고 가꾸기도 합니다.

지난 금요일에 우리 학년은 산으로 봄 소풍을 다녀왔습니다. 맑은 시냇물이 흐르고, 이름 모를 새들이 반갑게 맞아 주는 것 같아 기분이 무척 좋았습니다. 그런데 점심을 먹고 자연 관찰 시간이 되자, 친구들이 여기저기 아름답게 핀 진달래를 마구 꺾기 시작했습니다. 어떤 친구는 집에 가져간다며 욕심을 내서 꺾었습니다. 아름답게 핀 진달래꽃은 순식간에 다 꺾였습니다.

집에 오는 길에 친구들은 꺾은 진달래꽃이 시들었다며 길가에 마구 버렸습니다. 함부로 버려진 진달래꽃이 아프다고 ㉠우리에게 막 원망을 하는 것 같았습니다. 자연도 살아 있는 생명입니다. 그러므로 산이나 들에 있는 꽃이라도 함부로 꺾으면 안 됩니다.

-꽃을 꺾지 맙시다 _ 김종상

 봄 소풍에서의 체험을 통해 생명체인 [□꽃 / □돌]을 비롯한 자연을 소중히 여기자고 [□주장하는 / □설명하는] 글입니다.

❹ 다음은 이 글의 중심 내용입니다. 빈칸에 알맞은 말을 쓰시오.

글의 주제

> 글쓴이는 꺾이고 버려진 진달래꽃을 보며 자연의 일부이자 생명인 꽃을 소중히 여기자고 [ ][ ] 하고 있습니다.

❺ '나'가 ㉠과 같이 느낀 이유는 무엇입니까?

추론

① 시냇물이 매우 맑았기 때문입니다.

② 친구들이 산에서 시끄럽게 했기 때문입니다.

③ 친구들이 진달래를 소중하게 다뤘기 때문입니다.

④ 꺾인 진달래 꽃이 길가에 함부로 버려졌기 때문입니다.

엄마, 아빠와 함께 경기도 이천에 있는 도자기 마을에 도자기 체험을 하러 갔다. 나는 먼저 우리나라 도자기의 특징과 역사에 대한 설명을 들었다. 그동안 도자기에 대해서 잘 몰랐는데, 설명을 듣고 나서 우리나라 도자기가 얼마나 우수한지를 알게 되어 신기했다.

그 다음 선생님께서 물레라는 것으로 시범을 보이셨고, 나는 흙으로 도자기를 만들어 보는 체험을 하였다. 나는 엄마랑 물컵을 만들기로 하였다. 그런데 생각한 대로 모양이 잘 되지 않았다. 선생님께서 하는 것을 볼 때는 쉬워 보였는데……. 그래서 조금 속상했다.

엄마가 물컵의 찌그러진 부분에 흙으로 만든 꽃을 붙여 주셨다. 그러니까 모양이 나아져서 속상했던 마음이 사라지고 ㉠감사한 마음이 들었다.

핵심 요약에 체크해 보세요.

도자기 마을에 가서 보고, 듣고, 느끼고, [□추리한 / □체험한] 것을 쓴 [□기행문 / □독후감]입니다.

❻ 이 글을 통해 알 수 있는 내용은 무엇입니까?

글의 목적

이천 [ ][ ][ ] 마을을 방문한 이후 체험한 내용과 느낀 점입니다.

7
글의 제목

이 글의 제목을 정할 때, 제목으로 가장 알맞은 것은 무엇입니까?

① 도자기의 고향! 이천으로 오세요.

② 처음 본 이천 도자기와 물레 시범!

③ 내 손으로 직접 만든 도자기 체험!

④ 도자기 전문가가 만든 도자기가 최고!

8
내용 파악

'나'가 ㉠과 같이 느낀 이유는 무엇입니까?

① 내가 만든 물컵의 모양이 나아졌기 때문입니다.

② 우리나라 도자기가 우수한 것을 알게 되었기 때문입니다.

③ 물컵을 잘 만들었다고 엄마에게 칭찬을 들었기 때문입니다.

④ 선생님께서 도자기를 만드는 시범을 보여 주셨기 때문입니다.

9
일의 순서

글쓴이의 마음이 변화한 것을 정리한 것입니다. 빈칸에 알맞은 말은 무엇입니까?

신기함.   →   ☐☐.   →   감사함.

① 속상함   ② 피곤함   ③ 지루함   ④ 으쓱함

한눈에 보는 약점 유형 분석

틀린 문제에 ✔표를 하세요.

❶ 중심 내용	❷ 내용 적용	❸ 어휘	❹ 글의 주제	❺ 추론	❻ 글의 목적	❼ 글의 제목	❽ 내용 파악	❾ 일의 순서

04일차   27

일기   문제 ❶~❸

ㄴ○○○년 ○월 ○일, 날씨 흐림

꼬치에 소시지를 꿰는 것부터 쉽지 않았다. 조금만 삐뚤어져도 핫도그 모양이 잘 잡히지 않기 때문이다. 소시지에 꽂았던 꼬치가 삐뚤면 다시 빼서 꽂아야 한다. 그러면 처음 꽂았던 자리에 구멍이 생겨 소시지가 더욱 흔들거려서 꽂기가 힘들다. 내가 소시지와 꼬치 때문에 힘들게 작업하고 있는데, 갑자기 선생님께서 "민식아!"하고 부르셨다.

수영이랑 나는 깜짝 놀라 동시에 민식이를 보았다. 민식이는 소시지 3개를 줄줄이 ㉠꽂아서 기름에 튀기고 있었다. 선생님이 한입 크기 미니 핫도그라고 한 개만 꽂으라고 하셨는데, 민식이는 줄줄이 핫도그를 만든다고 소시지를 3개나 꽂은 것이다. 하지만 선생님은 민식이 아이디어가 좋다고 칭찬하시면서 우리들도 그렇게 만들어 보라고 하셨다.

– 핫도그 만들기 _ 김종미

핵심 요약에
체크해 보세요.

[☐소시지 / ☐핫도그]를 만든 경험을 기록한 [☐편지글 / ☐일기]입니다.

1 글의 제목

이 글은 무엇에 대한 내용입니까?

☐☐☐ 만들기.

2 내용 파악

내가 꼬치에 소시지 꿰는 것을 힘들어 한 이유는 무엇입니까?

① 꼬치에 소시지를 꿸 힘이 모자랐기 때문입니다.

② 삐뚤어지면 핫도그 모양을 잡기가 쉽지 않았기 때문입니다.

③ 한꺼번에 만들어야 하는 핫도그 개수가 많았기 때문입니다.

④ 여러 개의 소시지를 한 꼬치에 꿰는 것이 쉽지 않았기 때문입니다.

3 어휘

㉠의 뜻을 국어사전에서 확인하려고 할 때, 찾아야 할 낱말은 무엇입니까?

꽂다	꾼다

더운 여름 날, 산을 오르던 경석이와 아버지는 땀을 식히려고 시원한 계곡을 찾았다. 계곡에는 어린아이를 데리고 놀러 나온 가족도 있고 나무 그늘 아래 낮잠을 자는 어른들도 보였다. 그런데 그중 한 아주머니가 "시원하게 머리나 감고 가야지."하며 배낭에서 샴푸를 꺼내 들고 일어섰다.

"아빠, 어떻게 하지요? 바로 아래 얕은 물에서 애들이 놀고 있는데."

경석이는 주위 사람들을 둘러보았지만 아주머니를 말리려는 사람은 없었다. 그 사이 아주머니는 물가로 와 자리를 잡고 앉았다. 아버지가 경석이에게 눈짓을 했다.

"그릇된 일에는 관용을 베푸는 것이 아니야."

아버지 말씀에 경석이는 용기를 얻었다. 경석이는 막 샴푸 뚜껑을 여는 아주머니에게 다가가 이렇게 말했다.

"아주머니, 계곡에서 샴푸로 머리를 감으면 안 돼요. 물고기들이 다 죽잖아요. 그리고 저 아래에서 아이들이 물놀이를 하고 있어요."

- 관용이란 그런 게 아니야 _ 채인선

아주머니가 [□친절한 / □잘못된] 행동을 하지 못하게 하는 이야기를 통해 우리에게 깨달음을 주는 [□동화 / □일기]입니다.

---

 4 중심 내용

이 글을 읽고 빈칸에 알맞은 말을 쓰시오.

아주머니가 [　][　] 에서 [　][　] 를 감으려고 하는 것을 경석이가 말렸습니다.

---

 5 추론

이 글을 통해 얻을 수 있는 교훈은 무엇입니까?

① 자신만 생각하는 사람이 되면 안 됩니다.

② 계곡에서 사고가 나지 않게 주의해야 합니다.

③ 어려운 일이 있으면 서로 도와주어야 합니다.

④ 다른 사람이 잘못한 일을 너그럽게 이해해야 합니다.

민화는 옛날 사람들이 널리 사용하던 그림이에요. 따라서 민화 속에는 우리 조상의 삶과 신앙 그리고 멋이 깃들어 있어요. 민화가 보통의 그림과 다른 점은 생활에 필요한 실용적인 그림이라는 것이에요. 다시 말해, 선비들이 그린 품격이 높은 산수화나 솜씨 좋은 화원이 그린 작품들은 오래 두고 감상하는 그림이지만, 민화는 어떤 특별한 목적을 위해 사용한 그림이지요.

민화의 쓰임새는 여러 가지였어요. 혼례식이나 잔치를 치를 때 장식용으로 쓰던 병풍 그림, 대문이나 벽에 부적처럼 걸어 둔 그림, 그리고 자신의 소망을 빌거나 누군가를 축하하는 그림도 민화였어요.

민화는 호랑이, 까치, 물고기, 사슴, 학, 거북, 토끼, 매와 같은 동물이나 소나무와 대나무, 모란, 불로초, 연꽃, 석류 같은 식물 등의 다양한 소재를 사용했어요. 해태나 용 같은 상상의 동물도 있지요. 우리 조상은 민화에 복을 기원하였고, 민화는 악귀나 나쁜 것을 몰아내는 힘이 있다고 믿었던 거예요.

– 민화 _ 장세현

핵심 요약에 체크해 보세요.

민화의 [□쓰임새 / □역사]를 알려 주고, 민화의 소재에는 어떤 것들이 있는지 [□설명하는 / □주장하는] 글입니다.

6 이 글에서 설명하고 있는 것은 무엇입니까?

중심 내용   □ □

7 이 글의 내용으로 알맞지 않은 것은 무엇입니까?

내용 파악

① 민화는 동물만 소재로 사용했습니다.

② 민화의 쓰임새는 매우 다양했습니다.

③ 민화 속에는 조상들의 삶이 나타나 있습니다.

④ 우리 조상은 민화를 통해 복을 기원하였습니다.

8

중심 내용

'민화'의 특징으로 가장 알맞은 것은 무엇입니까?

① 민화는 품격이 높은 그림입니다.

② 민화는 솜씨 좋은 화원이 그린 그림입니다.

③ 민화는 두고 감상하기 위해 그린 그림입니다.

④ 민화는 특별한 목적을 위해 사용하던 그림입니다.

9

내용 적용

이 글을 읽고 나눈 대화입니다. 빈칸에 알맞은 낱말을 [보기]에서 찾아 쓰시오.

> 보기
>
> 장식   부적   소망   축하

선생님: 민화의 다양한 쓰임새에 대해 말해 볼까요?

민호: 잔치에서 ① ☐☐ 용으로 쓰였습니다.

용준: 대문이나 벽에 ② ☐☐ 처럼 걸었습니다.

민서: 자신의 ③ ☐☐ 을 빌기 위해 그렸습니다.

준서: 누군가를 ④ ☐☐ 하기 위해 그렸습니다.

한눈에 보는
약점 유형 분석

틀린 문제에 ✔표를 하세요.

① 글의 제목	② 내용 파악	③ 어휘	④ 중심 내용	⑤ 추론	⑥ 중심 내용	⑦ 내용 파악	⑧ 중심 내용	⑨ 내용 적용

중요한 낱말을 다시 한번 확인하고 □에 써 보세요.

이자
(이로울 利, 아들 子)

남에게 돈을 빌려 쓴 대가로 치르는 일정한 양의 돈.

예 이 돈은 [　][　] 까지 쳐서 꼭 갚을게.

자극
(찌를 刺, 창 戟)

생물의 몸에 작용하여 반응을 일으키게 하는 일.

예 다친 신경 세포에 [　][　] 을 주었다.

관절
(관계할 關, 마디 節)

뼈와 뼈가 서로 맞닿아 연결되어 있는 곳.

예 나이가 들수록 [　][　] 이 쑤신다.

수직
(드리울 垂, 곧을 直)

직선과 평면, 평면과 평면 등이 서로 직각을 이루는 상태.

예 폭포수가 [　][　] 으로 떨어졌다.

절개
(절개 節, 끼일 介)

생각이나 믿음을 바꾸지 않는 태도.

예 춘향은 이 도령이 떠난 후에도 [　][　] 를 지켰다.

투성이

(어떤 말에 붙어) 그것이 너무 많은 상태, 그런 상태의 사람이나 사물.

예 캠핑을 하다가 우리는 흙 [　][　][　] 가 되었다.

산수화
(뫼 山, 물 水, 그림 畫)

산과 물이 어우러진 자연의 아름다움을 그린 그림.

예 이 [　][　][　] 는 자연을 그대로 옮겨 놓은 듯하다.

십자말 풀이

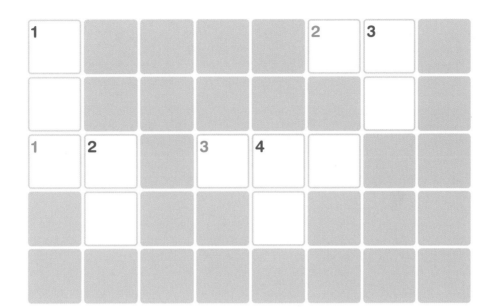

🗝 가로 열쇠

1. 남에게 돈을 빌려 쓴 대가로 치르는 일정한 양의 돈.

2. 뼈와 뼈가 서로 맞닿아 연결되어 있는 곳.

3. 산과 물이 어우러진 자연의 아름다움을 그린 그림.

🗝 세로 열쇠

1. 그것이 너무 많은 상태. 그런 상태의 사람이나 사물.

2. 생물의 몸에 작용하여 반응을 일으키게 하는 일.

3. 생각이나 믿음을 바꾸지 않는 태도.

4. 직선과 평면, 평면과 평면 등이 서로 직각을 이루는 상태.

06~10 일차

♣ 공부한 날: ☐ 월 ☐ 일 ♣ 맞은 개수: ☐ / 10문항

설명하는 글 문제 ❶~❸

지도는 우리가 사는 곳을 작게 줄여서 알기 쉽게 나타낸 그림이에요. 지도는 땅, 산, 강, 호수와 같은 자연 환경과 길, 건물과 같은 인공적인 환경을 일정한 비율로 줄이고 간편한 기호로 표시해 쉽게 알아볼 수 있게 만든 거예요. 사람들은 지도를 보며 자기가 사는 고장의 모습을 알기도 하고 위치를 파악하기도 해요.

우리는 지도를 보고 길을 찾고 거리를 측정하며, 여행을 계획해요. 또 배와 항공기 조종사도 지도를 이용해서 운항하지요. 이 밖에도 지도는 집과 집 사이의 경계나 나라 사이의 경계를 나눌 때도 쓰이고, 고장과 고장을 연결하는 철도와 도로를 놓을 때도 쓰여요.

핵심 요약에 체크해 보세요.

[☐ 지폐 / ☐ 지도]가 무엇인지, 일상생활에서 어떻게 쓰이는지에 대해 [☐ 설명하는 / ☐ 기록하는] 글입니다.

1 이 글의 제목으로 알맞은 낱말을 쓰시오.

글의 제목

☐☐란 무엇인가?

2 다음의 빈칸에 알맞은 말은 무엇입니까?

중심 내용

우리가 사는 곳을 ☐☐☐ 알기 쉽게 나타낸 그림이 지도예요.

① 늘려서   ② 키워서   ③ 줄여서   ④ 똑같이

3 이 글을 읽고 알 수 없는 것은 무엇입니까?

내용 파악

① 사람들은 지도를 보고 철도와 도로를 놓아요.

② 사람들은 지도를 보고 길을 찾고 거리를 측정해요.

③ 사람들은 지도를 보고 자기가 사는 고장의 모습을 알기도 해요.

④ 사람들은 지도를 보고 그 지역에 사람들이 얼마나 많은지를 파악해요.

여러 사람이 다 같이 함께 하는 곳을 공공장소라고 해요. 공공장소에서는 남에게 피해를 주지 않도록 최대한 주의해야 해요. 여러분들이 친구들과 즐겁게 식사를 하며 조용히 이야기를 나누고 싶은데, 주위가 너무 시끄러워서 어떻게 해야 할지 당황스러웠던 경우를 생각해 보세요. 그때 여러분에게 가장 필요했던 것은 무엇이었습니까? 이러한 경험을 교훈 삼아 앞으로는 지하철이나 버스, 식당, 은행, 도서관, 박물관 같은 ㉠공공장소에서는 말소리를 낮추고, 뛰는 행동은 절대 하지 말아야 합니다.

핵심 요약에 체크해 보세요.

[□공공장소 / □개인적인 장소]에서 다른 사람의 입장을 고려하여 행동해야 한다고 [□홍보하는 / □주장하는] 글입니다.

④
내용 파악

㉠에 해당하는 장소가 아닌 곳은 어디입니까?

① 식당　　　② 은행　　　③ 내 방　　　④ 박물관

⑤
내용 적용

공공장소에서의 행동으로 알맞은 것은 무엇입니까?

① 큰 소리로 통화한다.
② 이동할 때는 뛰어다닌다.
③ 옆 사람과 대화할 때 말소리를 낮춘다.
④ 다른 사람의 시선은 신경쓰지 않는다.

⑥
중심 내용

이 글을 읽은 [보기]의 재승이가 철희에게 해 줄 수 있는 말을 쓰시오.

┤ 보기 ├

　재승이는 책을 빌리러 도서관에 갔어요. 책을 읽고 있는데, 같은 반 친구인 철희가 시끄럽게 떠들면서 큰 소리로 책을 읽고 있었어요.

→ 철희야, 공공장소에서는 남에게 □□를 주지 않도록 조심해야 해.

어느 날 아침, 한음이 오성의 집에 놀러 왔습니다. 오성의 집 마당의 큰 감나무에는 빨간 감들이 탐스럽게 열려 있었습니다. 이 감나무 가지는 담 너머 옆집인 권 판서 댁까지 뻗어 있었습니다.

"야, 저 감 참 맛있겠다!"

한음이 담 너머에 있는 감을 가리키며 말했습니다. 오성은 한음의 마음을 알아채고 감을 따려고 했습니다.

㉠"우리 집 감을 왜 허락도 없이 따려고 하시오?"

옆집 하인이 말했습니다.

"무슨 말인가? 우리 감나무에 달린 감이야."

"도련님 댁 감이라고요? 그건 우리 감이에요. 보시다시피 우리 집으로 가지가 넘어왔잖아요."

옆집 하인이 넘어간 감나무 가지를 자기네 것이라고 우기며 감을 따지 못하게 했습니다.

"그런 경우가 어디 있나? 그 감은 우리 것이네. 아무리 담 너머로 가지가 넘어갔어도 감나무는 우리 집에서 심고 가꾸었기 때문이야."

오성은 어이없다는 듯이 옆집 하인에게 항의하고, 오성의 옆집인 권 판서 댁의 사랑방 앞에 멈추어 섰습니다.

"대감님, 저의 무례함을 용서하십시오."

오성은 창호지를 바른 방문 안으로 팔을 쑥 들이밀었습니다. 책을 읽고 있던 권 판서는 방문을 뚫고 들어온 팔을 보고 깜짝 놀랐습니다.

"대감님, 지금 이 팔이 누구 팔입니까?"

"그야 자네 팔이지, 누구 팔이겠느냐?"

"지금 이 팔은 방 안에 들어가 있지 않습니까?"

"방 안에 있다 해도 자네 몸에 붙었으니까 자네 팔이지."

"그렇다면 담 너머 감나무에서 뻗어 나와 이 댁에 넘어온 가지는 누구네 것입니까?"

권 판서는 오성이 무엇 때문에 방문을 뚫고 팔을 들이밀었는지 그 뜻을 금방 깨달았습니다.

핵심 요약에 체크해 보세요.
담을 넘어 간 [□밤 / □감]으로 생긴 갈등을 슬기롭게 해결하는 모습을 보여 주는 [□동시 / □전래 동화]입니다.

7

내용 파악

이 글을 읽고 알 수 없는 것은 무엇입니까?

① 한음은 감나무에 달린 빨간 감을 먹고 싶어 했습니다.

② 한음의 집 마당의 감나무에는 감들이 탐스럽게 열려 있었습니다.

③ 오성은 권 판서의 사랑방 문 안으로 자신의 팔을 들이밀었습니다.

④ 권 판서는 오성의 팔을 보고 오성이 찾아 온 이유를 깨달았습니다.

 8

추론

옆집 하인이 오성에게 ㉠이라고 말한 이유는 무엇입니까?

① 감나무가 자신의 집에 심어져 있기 때문입니다.

② 감나무에 열린 감을 자기 혼자만 먹고 싶었기 때문입니다.

③ 자신이 예전에 감나무를 오성의 집에 심어 주었기 때문입니다.

④ 담을 넘어 온 가지에 달린 감은 자기네 것이라고 생각했기 때문입니다.

 9

중심 내용

다음의 □에 제시된 단어 중에서 글의 내용에 알맞은 말을 고르시오.

> 권 판서의 방문 / 대문 안으로 오성의 팔이 넘어갔다고 하더라도, 그 팔 / 눈 은 오성의 몸에 붙어 있으므로 오성의 것이다. 감나무 가지가 권 판서 댁의 담 너머로 뻗어 있더라도, 감나무의 뿌리 / 줄기 는 오성의 집에 있으므로 그 감나무 가지는 오성의 것이다.

10

추론

'옆집 하인'에게 해 줄 수 있는 말로 알맞은 것은 무엇입니까?

① 남의 것을 탐내지 마세요.

② 자기의 것을 소중히 여기세요.

③ 작은 일도 감사하는 사람이 되세요.

④ 자기 것을 나눌 줄 아는 사람이 되세요.

한눈에 보는
약점 유형 분석

틀린 문제에 ✔표를 하세요.

① 글의 제목	② 중심 내용	③ 내용 파악	④ 내용 파악	⑤ 내용 적용	⑥ 중심 내용	⑦ 내용 파악	⑧ 추론	⑨ 중심 내용	⑩ 추론

독서 기록문   문제 ❶～❷

- 책 제목: 『단군 신화』
- 읽은 날짜: ○월 ○○일
- 읽게 된 이유: 엄마께서 이 책을 보여 주시며 읽어 보라고 말씀하셨다.
- 줄거리: 호랑이와 곰은 사람이 되기 위해서 동굴 속에서 100일 동안 쑥과 마늘만 먹기로 한다. 호랑이는 매운 마늘과 맛없는 쑥을 참지 못하고 동굴 밖으로 도망갔다. 그러나 곰은 100일 동안 열심히 마늘과 쑥을 먹고 사람이 된다. 하늘에서 내려온 환웅과 사람이 된 곰은 결혼을 하게 되고 단군을 낳았다. 단군 할아버지는 새로운 나라를 세우는데 그 나라가 바로 우리나라이다.
- 인상 깊었던 부분: 하늘에서 사람이 내려올 수 있다니 신기했고, 곰이 사람이 되는 것도 놀라웠다.
- 배우고 느낀 점: 단군은 하늘에서 내려온 환웅의 아들이었다. 그리고 단군이 우리나라를 세웠다.

핵심 요약에 체크해 보세요.

[□신문 / □책]을 읽은 후 줄거리나 느낀 점 등을 정리하여 기록한 [□독서 기록문 / □광고문] 입니다.

1

중심 내용

『단군 신화』의 내용으로 알맞은 것은 무엇입니까?

① 호랑이는 사람이 되었습니다.

② 환웅이 우리나라를 세웠습니다.

③ 호랑이와 곰이 결혼을 했습니다.

④ 사람이 된 곰이 단군을 낳았습니다.

2

내용 파악

이 글을 통해 알 수 <u>없는</u> 것은 무엇입니까?

① 책을 읽은 날짜   ② 책을 읽게 된 이유

③ 책에 대한 나의 생각   ④ 엄마께서 책을 추천하신 이유

기후는 지역에 따라 열대, 온대, 한대로 나뉩니다. 우리나라는 봄, 여름, 가을, 겨울 사계절이 뚜렷한 온대 기후입니다.

봄은 3~5월로 날씨가 따뜻해져 얼었던 땅이 풀리며, 새싹이 돋고 꽃이 핍니다. 여름은 6~8월로 날씨가 무더우며 비가 많이 옵니다. 풀과 나무들이 무성하게 자라며, 곡식과 과일이 익기 시작합니다. 가을은 9~11월로 날씨가 서늘해지며 단풍이 듭니다. 사람들은 추수를 하고, 동물들은 겨울나기를 준비합니다. 겨울은 12~2월로 낮의 길이가 ⓐ 날씨가 춥습니다. 풀은 마르고, 나무는 잎을 떨어뜨린 채 겨울잠을 잡니다.

이처럼 우리나라는 사계절이 뚜렷하기 때문에 따뜻하고, 무덥고, 서늘하고, 추운 것을 고루 느낄 수 있고 자연환경이 아름다워 ⓑ다른 기후 지역의 사람들이 무척 부러워합니다.

– 사계절이 뚜렷한 우리나라의 기후 _ 김종상 외

핵심 요약에 체크해 보세요.

우리나라의 기후가 [□열대 / □온대]임을 밝히고, 그 특징을 [□설명하는 / □감상하는] 글입니다.

❸ 핵심어
이 글에서 설명하고 있는 것은 무엇입니까?

① 기후   ② 겨울잠   ③ 곡식   ④ 과일

❹ 어휘
ⓐ에 알맞은 낱말을 바르게 쓴 것은 무엇입니까?

| 짤고 | 짧고 |

❺ 추론
ⓑ의 이유로 가장 알맞은 것은 무엇입니까?

① 봄이 길기 때문입니다.   ② 비가 많이 오기 때문입니다.
③ 사계절이 뚜렷하기 때문입니다.   ④ 풀과 나무가 무성하기 때문입니다.

사랑하는 부모님께

엄마, 아빠 안녕하세요? 저는 서연이에요. 내일은 어버이날이에요. 어버이날을 맞이해서 내일 수업 시간에 학교에서 편지를 쓰기로 했는데, 저는 오늘 먼저 쓰려고 해요. 엄마, 아빠께 하고 싶은 말들이 너무 많아서요.

엄마, 아빠. 저희를 키우시느라 많이 힘드시죠? 매일 아침 저희가 일어나기도 전에 일찍 일어나셔서 출근 준비도 하시고, 저희를 챙겨서 학교도 보내 주시느라고요. 그런데도 저는 일어나기 싫다고 가끔씩 잠투정을 부리고, 차려 주신 아침밥이 맛없다고 투덜거리기도 하고, 동생들을 잘 돌봐야 하는데 맛있는 것이 있으면 먼저 먹겠다고 싸우기도 했어요. 지금 생각해 보니 이런 제 모습이 정말 부끄러워요. 지난 번 비 오는 날에는 아빠께서 저를 학교 앞까지 데려다 주셨는데, 저는 비를 한 방울도 맞지 않았지만 아빠는 비를 맞아서 옷이 흠뻑 젖으신 걸 보았어요. 아직도 그 모습이 계속 생각이 나서 죄송하고 정말 감사해요.

우리 집은 다른 집보다 식구가 많아서 엄마랑 아빠가 더 힘드실 거라고 생각해요. 외할머니와 이모도 같이 사시는데 제가 자꾸 말썽만 피워서 죄송해요.

엄마, 아빠! 제가 어버이날을 맞아 준비한 게 있어요. 내일 저녁에 우리 식구들 모두 밖에 나가서 맛있는 것을 먹는 거예요. 제가 동생들이랑 지금까지 모은 용돈으로 준비했어요. 엄마, 아빠께서 정말 좋아하셨으면 좋겠어요. 제가 어른이 되면 더 좋은 것을 꼭 해드릴게요.

저는 엄마, 아빠의 딸이어서 정말 행복해요. 앞으로 엄마, 아빠께 효도하는 사랑스런 딸이 되도록 많이 노력할게요. 엄마, 아빠 사랑해요. 그럼 안녕히 계세요.

- 20○○년 5월 7일 서연 올림.

핵심 요약에 체크해 보세요.

서연이가 어버이날을 맞이하여 [☐할머님 / ☐부모님]께 감사하는 마음을 전하는 [☐편지글 / ☐반성문]입니다.

❻ 다음의 빈칸에 알맞은 말을 쓰시오.

중심 내용

서연이는 ☐☐☐☐을 맞이하여 동생들과 자신의 ☐☐을 모아 가족이 외식하는 자리를 준비했어요.

7

글의 목적

서연이가 이 글을 쓴 이유는 무엇입니까?

① 부모님께 부탁을 드리기 위해서입니다.

② 부모님께 고민거리를 털어놓기 위해서입니다.

③ 부모님께 잘못한 일을 반성하기 위해서입니다.

④ 부모님께 감사하는 마음을 전하기 위해서입니다.

8

내용 파악

서연이가 글을 쓰면서 떠올린 것이 <u>아닌</u> 것은 무엇입니까?

① 아침에 일어나기 싫다고 잠투정을 했던 모습

② 아침밥이 맛없다고 부모님께 투덜거렸던 모습

③ 동생들과 맛있는 것을 서로 먹겠다고 싸웠던 모습

④ 비 오는 날 부모님 대신 이모께서 우산을 들고 오셨던 모습

9

어휘

이 글에서 '물이 쭉 내배도록 몹시 젖은 모양.'을 나타내는 말을 찾아 쓰시오.

ㅎ	ㅃ

한눈에 보는
약점 유형 분석

틀린 문제에 ✔ 표를 하세요.

❶ 중심 내용	❷ 내용 파악	❸ 핵심어	❹ 어휘	❺ 추론	❻ 중심 내용	❼ 글의 목적	❽ 내용 파악	❾ 어휘

설명하는 글 문제 ❶~❷

　　오늘날 지구에 사는 동물의 종류는 약 172만 종이 넘는다고 해요. 아직까지 발견되지 않은 동물까지 합하면 그 수는 더 어마어마할 거예요. 이처럼 동물의 종류가 많아진 것은 동물이 주변 환경과 생활 방식에 맞게 적응하고 진화했기 때문이랍니다. 동물은 사는 곳에 따라 다른 특징을 가지지요.

• 땅에서 사는 동물: 사자와 사슴, 다람쥐 등 땅에서 사는 동물은 주변 온도에 상관없이 체온을 항상 일정하게 유지하기 위해 ㉠온몸이 털로 덮여 있어요.

• 하늘에서 사는 동물: 비둘기나 독수리 등의 새는 하늘을 날기 위해 날개가 발달했어요. 또 뼛속에 구멍이 뚫려 있고 '기낭'이라고 하는 공기주머니가 폐에 연결되어 있어 몸이 가벼워요. 그래서 새는 하늘을 잘 날 수 있지요.

• 물에서 사는 동물: 물고기는 물속에서 자유롭게 헤엄칠 수 있게 도와주는 지느러미와 물속에서도 숨을 쉴 수 있게 해 주는 아가미, 그리고 물 위로 떠오르거나 물속으로 가라앉기 위한 부레가 발달했답니다.

－동물은 정말 다양해요 _ 황보연

핵심 요약에
체크해 보세요.

지구에 사는 [☐동물 / ☐식물]이 주변 환경과 생활 방식에 맞게 진화하여 종류가 다양해졌다는 것을 [☐주장하는 / ☐설명하는] 글입니다.

❶ 다음의 빈칸에 알맞은 말을 쓰시오.

핵심어

> 동물의 종류가 많아진 까닭은 동물이 주변 환경과 생활 방식에 맞게 적응하고 ☐☐했기 때문입니다.

❷ ㉠의 이유는 무엇입니까?

추론

① 하늘을 날기 위해서입니다.　　　② 헤엄을 잘 치기 위해서입니다.

③ 체온을 유지하기 위해서입니다.　　④ 몸을 가볍게 하기 위해서입니다.

우리는 철수의 '이'입니다. 우리는 철수가 먹는 음식물들을 잘게 부수어서 소화가 잘 되게 도와줍니다. 우리의 역할은 매우 중요하기 때문에 청소를 자주 해 주어야 합니다.

철수는 과자와 초콜릿을 무척 좋아해서 자주 먹습니다. 그런데 우리는 그것들을 씹는 것이 그다지 기분이 좋지는 않습니다. 왜냐하면 초콜릿이나 과자들은 우리를 비집고 들어와서 우리를 더럽히기 때문입니다. 게다가 충치와 같은 나쁜 세균들을 불러 모아 우리를 공격합니다.

어제는 치과에서 우리 중 하나가 그만 뽑히고 말았습니다. 철수가 우리를 청소해 주지 않고 사탕을 입에 문 채로 잠들었기 때문입니다. 그래서인지 철수가 오늘은 과자를 조금밖에 먹지 않았습니다.

비록 음식물을 씹는 것이 우리의 일이지만, 철수가 군것질을 자주 해서 우리 주변에 세균이 득실득실한 것은 너무 괴롭습니다. 앞으로는 철수가 우리들이 항상 깨끗하도록 노력해 주면 좋겠습니다.

– 이를 깨끗이 닦자 _ 김선 외

핵심 요약에
체크해 보세요.

철수의 [☐귀 / ☐이]를 사람처럼 표현하여 이를 깨끗하게 닦으라고 [☐광고하는 / ☐주장하는] 글입니다.

❸ 이 글에 대한 설명으로 알맞지 <u>않은</u> 것은 무엇입니까?

내용 파악

① 철수의 '이'를 사람인 것처럼 표현했습니다.

② 철수의 '이'가 항상 깨끗하다고 하였습니다.

③ 철수의 '이'가 썩은 이유가 드러나 있습니다.

④ 철수의 '이'가 하는 역할이 나타나 있습니다.

❹ 이 글을 읽고 알게 된 내용으로 알맞지 <u>않은</u> 것은 무엇입니까?

내용 파악

① 초콜릿은 이를 더럽게 합니다.

② 철수는 늘 이를 닦고 잠을 잡니다.

③ 철수는 치과에서 이를 뽑았습니다.

④ 철수는 군것질하는 것을 좋아합니다.

선생님: 오늘은 지난번에 숙제로 내 주었던 것에 대해서 발표해 보려고 합니다. 숙제가 뭐였죠?

학생들: 우리가 일상생활을 할 때 도움이 되는 정보를 알아오는 거예요!

선생님: 네. 맞아요. 다들 숙제 잘 해 왔지요? 그러면 누가 가장 먼저 발표해 볼까요?

주　원: 제가 발표하겠습니다.

선생님: 그래요. 주원이가 발표해 보세요. 주원이는 무슨 내용을 준비해 왔나요?

주　원: 미세 먼지로 인한 피해를 줄이는 방법을 조사해 왔습니다.

선생님: 아. 그렇군요. 그러면 지금부터 우리 주원이가 발표를 할 거예요. 친구들은 주원이를 쳐다보면서 주원이의 말을 ㉠경청해 주세요. 그리고 좋은 내용이 나오면 메모를 하는 것도 발표를 듣는 좋은 방법이랍니다. 주원이는 친구들이 잘 들을 수 있게 큰 목소리로 발표해 주세요. 모두 주원이가 발표를 잘 할 수 있게 큰 박수를 보내 주세요.

주　원: 안녕하세요. 저는 갈수록 심해지는 미세 먼지로 인한 피해를 줄이기 위해 국가는 어떤 노력을 하고 있으며, 우리는 어떤 노력을 할 수 있는지를 조사해 보았습니다.

　　먼저, 국가에서는 미세 먼지로 인한 피해를 줄이기 위해 여러 가지 대책을 마련하였습니다. 첫 번째는 미세 먼지 때문에 질환을 앓고 있는 학생에 한해 미세 먼지 결석을 ㉡허용하기로 하였습니다. 두 번째는 2020년까지 모든 학교에 공기 정화 시설을 설치하기로 하였습니다. 이것은 미세 먼지의 영향을 크게 받는 장소가 학생들이 많은 시간을 보내는 학교라는 것을 ㉢고려한 것입니다.

　　이번에는 우리가 할 수 있는 미세 먼지로 인한 피해를 줄이는 방법을 알려 드리겠습니다. 우리는 미세 먼지 농도가 나쁜 날에는 외출을 하지 않아야 합니다. 만약 어쩔 수 없이 나가야 할 때에는 반드시 미세 먼지용 마스크를 ㉣착용해야 합니다.

　　미세 먼지는 막을 수 없어도 미세 먼지로 인한 피해는 예방할 수 있습니다. 이상으로 발표를 마치겠습니다. 감사합니다.

핵심 요약에 체크해 보세요.

[□미세 먼지로 인한 피해를 줄이는 방법 / □미세 먼지를 없애는 방법]에 대해 수업 시간에 [□토의 / □발표] 하고 있습니다.

5 주원이가 발표한 내용은 무엇입니까?

중심 내용

① 미세 먼지로 인한 질병의 종류

② 미세 먼지로 인한 피해를 줄이는 방법

③ 미세 먼지가 우리 몸에 안 좋은 이유

④ 미세 먼지 마스크를 올바르게 착용하는 방법

6 주원이가 발표를 위해 준비한 내용을 모두 고르시오.

추론

가. 미세 먼지의 종류를 알아보았다.

나. 미세 먼지가 왜 발생하는지 알아보았다.

다. 국가에서 내놓은 미세 먼지 대책을 찾아보았다.

라. 미세 먼지로 인한 피해를 줄이는 방법을 찾아보았다.

7 다음 중 선생님의 말씀에 따라 주원이의 발표를 듣지 <u>않은</u> 친구는 누구입니까?

내용 적용

지수: 주원이를 잘 쳐다보았어요.

찬희: 주원이에게 박수를 보내 주었어요.

태리: 주원이를 바라보며 장난을 쳤어요.

민서: 주원이의 발표로 새롭게 알게 된 내용을 메모했어요.

① 찬희　　　　② 지수　　　　③ 태리　　　　④ 민서

8 ㉠~㉣의 뜻풀이로 <u>잘못된</u> 것은 무엇입니까?

어휘

① ㉠: 귀 기울여 들어 주세요.　　　② ㉡: 허락하기로

③ ㉢: 생각하고 헤아린　　　　　　④ ㉣: 받아들여야

한눈에 보는
약점 유형 분석

틀린 문제에 ✔표를 하세요.

❶ 핵심어	❷ 추론	❸ 내용 파악	❹ 내용 파악	❺ 중심 내용	❻ 추론	❼ 내용 적용	❽ 어휘

설명하는 글   문제 ❶~❷

준비물: 골판지, 플라스틱 숟가락 2개, 공예용 본드, 글루건, 풀, 꾸미기 도구(색종이, 색연필, 크레파스)

골판지에 부채 모양을 2개 그려서 오려요. 골판지 무늬의 방향이 한 개는 세로, 한 개는 가로가 되게 해요. 튼튼하게 만들기 위해서예요. 손잡이 부분에 붙일 골판지를 작은 모양으로 두 개 오려요. ㉠이때에도 골판지 무늬의 방향이 한 개는 세로, 한 개는 가로가 되게 해요.

작은 골판지를 각각 큰 골판지에 공예용 본드로 붙여요. 이때 작은 골판지와 큰 골판지의 무늬를 반대로 하는 것이 중요해요. 작은 골판지가 튼튼하게 붙으면 큰 골판지끼리 붙여요.

손잡이 부분에 플라스틱 숟가락을 글루건으로 붙여서 고정시킨 뒤 부채를 색종이나 색연필 등으로 꾸며요. 글루건은 열을 가하면 뜨거워서 화상을 입을 수 있으므로, 사용할 때는 꼭 어른의 도움을 받아요.

– 부채를 만들어요

핵심 요약에 체크해 보세요.

부채를 만들 때 필요한 [☐비용 / ☐준비물]과 부채를 만드는 방법을 [☐설명하는 / ☐주장하는] 글입니다.

1 이 글에 대한 설명으로 알맞지 <u>않은</u> 것은 무엇입니까?

내용 파악

① 부채를 만들면 좋은 점을 알려 주었습니다.

② 부채를 만드는 과정을 순서대로 알려 주었습니다.

③ 부채를 만들 때 필요한 준비물을 알려 주었습니다.

④ 글루건을 사용할 때 주의해야 할 점을 알려 주었습니다.

2 ㉠과 같이 해야 하는 까닭은 무엇입니까?

추론

① 부채를 튼튼하게 만들기 위해서입니다.

② 부채를 개성이 있게 만들기 위해서입니다.

③ 부채의 무늬를 아름답게 하기 위해서입니다.

④ 부채를 간편하게 만들기 위해서입니다.

한국교통연구원이 2017년에 발표한 자료에 따르면, 자전거를 타는 사람이 1,340만 명을 넘었다고 합니다. 그러면서 자전거를 타다가 일어나는 사고도 빠르게 늘고 있다고 했습니다. 그렇다면 자전거를 안전하게 타는 방법은 무엇일까요?

첫째, 안전 장비를 갖추고 타야 합니다. 만약 사고가 나더라도 안전 장비는 소중한 우리 몸을 지켜 줄 수 있기 때문입니다. 자전거를 탈 때 필요한 안전 장비에는 안전모, 장갑, 팔꿈치와 무릎 보호대 등이 있습니다.

둘째, 위험한 행동을 하지 않아야 합니다. 위험한 행동을 하면 자칫 큰 사고가 날 수 있기 때문입니다. 자전거를 탈 때 무리하게 속도 내기, 손 놓고 타기는 매우 위험한 행동입니다. 사고는 한순간에 일어날 수 있습니다.

셋째, 자전거 상태를 자주 점검해야 합니다. 고장 난 부분을 미리 발견해야 사고를 예방할 수 있기 때문입니다. 특히 브레이크, 바퀴, 손잡이를 주의 깊게 살펴보아야 합니다. 그 외에도 자전거에 고장 난 곳은 없는지 자주 점검해야 합니다.

자전거를 안전하게 타는 방법을 아는 것만큼 실천도 중요합니다. 그러므로 그 방법을 항상 기억하고 이를 잘 실천하여 자전거를 안전하게 타도록 합니다.

핵심 요약에
체크해 보세요.

[□자전거 / □자동차]를 안전하게 타는 방법을 안내하면서 그 실천을 [□광고하는 / □주장하는] 글입니다.

---

❸ 다음의 빈칸에 알맞은 말을 쓰시오.

글의 목적

이 글은 [ ][ ][ ]를 안전하게 타는 방법에 대해 설명하고, 그 실천을 주장하고 있습니다.

---

❹ 이 글을 통해 알 수 <u>없는</u> 것은 무엇입니까?

중심 내용

① 자전거를 탈 때에는 안전 장비를 갖추자.

② 자전거를 탈 때에는 위험한 행동을 하지 말자.

③ 자전거는 위험하므로 항상 새 자전거를 준비하자.

④ 자전거의 상태를 자주 점검하고 주의 깊게 살펴보자.

　　이순신은 비교적 늦은 나이인 31세 때 무과(武科)에 합격하여 무관이 되었습니다. 하지만 성실한 자세와 어려서부터 남달리 관심을 가지고 연구한 병법에 대한 지식을 바탕으로 점차 재능을 드러냈습니다. 이순신은 준비성이 철저한 사람이었고 그의 능력은 1592년에 크게 빛을 발했습니다.

　　이순신은 임진왜란이 일어나기 일 년 전인 1591년 전라좌도 수군절도사에 임명되자 각 부대의 현황을 살피는 한편 세계 최초의 철갑선인 거북선을 만들면서 군대를 튼튼히 했습니다.

　　"배 위에 왜 창검과 송곳을 꽂나요?"

　　"적이 배에 올라타지 못하도록 하기 위함이니라."

　　거북선 자체는 조선 초기에도 있었으나 두꺼운 쇠로 배 위를 보호하고 거기에 날카로운 쇠침을 꽂은 것은 이순신의 독창적인 생각이었습니다. 또한 앞머리, 옆구리에 화포를 설치해서 적군에게 포를 쏠 수 있게 만들었습니다.

　　"거북선을 돌진시켜라!"

　　이순신은 1592년 5월 29일 벌어진 사천 해전에서 거북선을 처음으로 출전시켜 승리했으며, 조선 수군의 사기를 크게 올렸습니다. 이순신은 같은 해 여름 한산도 해전에서 학익진을 사용해 대승을 거두며 왜군에게 두려움을 안겼습니다.

　　이순신은 한때 모함을 받아 백의종군했으나 다시 1597년 삼도 수군통제사로 임명됐습니다. 당시 남은 배는 12척 뿐이었습니다. 그러나 이순신은 1척을 보강하여 그해 가을 명량 해전에서 빠른 물살을 이용한 작전으로 왜선 133척 중 31척을 침몰시키며 크게 승리했습니다. 이순신은 1598년 노량 해전에서 마지막 승리를 거뒀지만 적의 총탄을 맞고 숨졌습니다. 이순신은 위기에 빠진 조선을 구한 위대한 영웅입니다.

－이순신, 위기에 빠진 조선을 구하다 _ 박영수

핵심 요약에 체크해 보세요. 이순신 장군이 [□중국 / □일본]과의 전투에서 모두 승리하며, 위기에 빠진 조선을 구하는 모습을 그린 [□전기문 / □기행문]입니다.

5

내용 파악

이 글을 읽고 알 수 있는 내용이 <u>아닌</u> 것은 무엇입니까?

① 이순신은 노량 해전에서 적의 총탄에 맞고 말았어요.

② 명량 해전에서 이순신의 배와 왜선의 수는 같았어요.

③ 이순신은 한산도 해전에서 학익진 전술을 사용했어요.

④ 이순신은 사천 해전에서 처음으로 거북선을 출전시켰어요.

6

내용 파악

'거북선'에 대한 설명으로 알맞지 <u>않은</u> 것은 무엇입니까?

① 조선 초기에도 있었습니다.

② 배 위에 날카로운 쇠침을 꽂았습니다.

③ 부드러운 나무로 배 위를 보호했습니다.

④ 앞머리와 옆구리에 화포를 설치했습니다.

7

일의 순서

이순신 장군이 참여한 해전을 일어난 순서대로 나타낸 것은 무엇입니까?

① 사천 해전 → 한산도 해전 → 명량 해전 → 노량 해전

② 사천 해전 → 한산도 해전 → 노량 해전 → 명량 해전

③ 사천 해전 → 노량 해전 → 명량 해전 → 한산도 해전

④ 사천 해전 → 노량 해전 → 한산도 해전 → 명량 해전

8

추론

이순신 장군에게 본받을 점으로 가장 알맞은 것은 무엇입니까?

① 정리를 잘 하는 사람이 되자.

② 책을 많이 읽는 사람이 되자.

③ 실패를 두려워하지 않는 사람이 되자.

④ 모든 일을 미리 준비하는 사람이 되자.

한눈에 보는
약점 유형 분석

틀린 문제에 ✔표를 하세요.

❶ 내용 파악	❷ 추론	❸ 글의 목적	❹ 중심 내용	❺ 내용 파악	❻ 내용 파악	❼ 일의 순서	❽ 추론

설명하는 글　문제 **①**～**②**

　　집안의 행사하면, 어떤 것들이 떠오릅니까? 즐거운 행사에는 혼례, 생일 잔치 등이 있고, 슬픈 행사로는 장례식, 제사 등이 있어요. 특히 혼례는 예로부터 가장 기쁘고 중요한 의식으로 여겼답니다.

　　그러면 전통 혼례에 대해 살펴볼까요? 옛날에는 신랑이 말이나 나귀를 타고 신부 집에 가서 혼례를 치렀어요. ㉠신랑은 혼례를 치르기 전에 먼저 나무 기러기를 신부 어머니께 드렸어요. 왜냐하면 기러기는 한 번 인연을 맺으면 죽을 때까지 믿음과 의리를 지키기 때문이라고 해요. 혼례가 끝나면 신랑은 신부 집에서 첫날밤을 보냈습니다.

　　전통 혼례는 오늘날의 결혼식과 진행 순서도 많이 달랐어요. 그리고 옛날에는 집에서 혼례를 치렀는데, 요즘은 예식장이나 야외 등 특정 장소에서 결혼식을 해요. 또 전통 혼례에서는 신랑은 사모관대를 갖추고, 신부는 원삼에 족두리를 썼어요.

핵심 요약에 체크해 보세요.

집안의 행사 중 [□장례식 / □혼례]에 대해 [□설명하는 / □홍보하는] 글입니다.

1

내용 파악

다음의 빈칸에 알맞은 말을 쓰시오.

	전통 혼례	오늘날의 결혼식
장소	집	(2) ☐☐☐ 이나 야외 등 특정 장소.
옷	신랑: 사모관대 신부: 원삼, (1) ☐☐☐	신랑: 턱시도 신부: 웨딩드레스

2

추론

㉠의 이유로 알맞은 것은 무엇입니까?

① 신랑이 용감하다는 것을 신부에게 보여 주려고

② 혼인을 허락한 신부 어머니께 고마움을 전하려고

③ 신부에 대한 믿음과 의리를 지키겠다는 것을 다짐하려고

④ 신부에게 미안한 마음을 신부 어머니께 대신 전달하려고

'티끌'은 아주 작은 부스러기나 먼지를 말해요. 반면, '태산'은 아주 높고 큰 산을 뜻하지요. 원래 태산은 중국에 있는 다섯 개의 높은 산들 가운데 하나로, 높이가 무려 1,532m나 된다고 해요.

조선 시대의 유명한 정승이었던 이항복은 어렸을 때 대장간 근처에서 놀다가 버려진 쇳조각들을 발견했어요. 그래서 그때부터 버려진 쇳조각들을 독에다 모으기 시작했는데, 어느새 세 개의 독에 꽉 차게 되었어요. 그러자 사람들이 이 모습을 보고 '티끌 모아 태산'이라고 했고, 결국은 속담으로까지 만들어졌어요.

'티끌 모아 태산'이라는 속담은 티끌이라도 쌓이면 산만큼 거대해지는 것처럼, 아무리 작은 것이라도 자꾸 모으면 큰 것을 이룰 수 있다는 뜻이에요. 마치 사막같이 거대한 모래벌판도 수많은 모래알들이 모여서 이루어지듯, 처음에는 도저히 이룰 수 없는 것처럼 보이는 일이라도 포기하지 않고 계속하다 보면 결국엔 이룰 수 있어요.

－티끌 모아 태산 _ 허은실

핵심 요약에 체크해 보세요.

'티끌 모아 태산'이라는 [□방언 / □속담]이 만들어진 계기와 그 의미를 제시하고 교훈이 무엇인지를 [□주장하는 / □설명하는] 글입니다.

❸
내용 파악

이 글을 통해 알 수 <u>없는</u> 것은 무엇입니까?

① 티끌의 의미   ② 태산의 높이

③ 이항복의 나이   ④ 이항복의 신분

❹
내용 적용

다음 빈칸에 알맞은 말을 이 글에서 찾아 쓰시오.

티끌 모아 태산 = □□□ 모아 모래벌판

❺
추론

이 글을 읽고 얻을 수 있는 교훈으로 가장 알맞은 것은 무엇입니까?

① 작은 일도 해야 할 때를 놓치면 안 돼요.

② 작은 일이라도 꾸준히 최선을 다해야 돼요.

③ 작은 일을 하찮게 여기는 태도를 가지면 안 돼요.

④ 작은 일에 집착하다가 정작 중요한 일을 못하면 안 돼요.

하늘을 최초로 비행한 사람은 라이트 형제예요.

어린 시절 아버지께 선물 받은 헬리콥터 장난감을 가지고 놀던 라이트 형제는 인간도 커다란 프로펠러만 있다면 하늘을 날 수 있다고 생각했어요.

하지만 사람들은 그런 형제를 보며 기가 막혔어요.

㉠"새도 아닌 사람이 하늘을 난다니 말이 돼?"

사람들은 형제가 미쳤다고 수군댔어요.

사람들은 형제가 비행기를 날릴 때마다 언덕으로 찾아와 실패하는 꼴을 구경하느라 신났어요.

"그럼 그렇지. 오늘도 또 실패인가 보군."

"그만 돌아가자고! 시간 낭비했구만."

하지만 라이트 형제는 수차례 시험 비행에 실패한 끝에 1903년, 드디어 첫 비행에 성공했어요.

㉡"와! 떴다, 떴어!"

㉢"비행기가 날고 있어!"

놀라운 일이었어요. 플라이어호가 공중에 붕 떠서 수 초간 하늘을 날더니 미끄러지듯 안전하게 착륙한 것이에요. ㉮형제는 눈물을 흘렸어요.

㉣"드디어 해냈어. 수백 번의 실패를 딛고 드디어 우리가 해낸 거야!"

비행시간은 12초였고 비행 거리도 36.5m에 불과했지만 이날의 비행은 인류 역사상 최초의 비행이었답니다.

이후에 형제는 점점 비행시간을 늘려 가서 40km를 38분 동안 비행하기도 했어요. 라이트 형제는 아메리칸 라이트 비행기 회사를 세워 비행기 제작에 평생을 바쳤답니다.

– 라이트 형제의 기분은 어땠을까? _ 강효미

핵심 요약에 체크해 보세요.

라이트 형제가 하늘을 날고 싶다는 꿈을 이루기 위해 노력하여 [□비행기 / □열기구]를 만들었다는 내용의 [□광고문 / □전기문]입니다.

6 중심 내용

다음의 빈칸에 알맞은 말을 쓰시오.

| | | | | | 는 최초로 비행기를 만들었어요.
|---|---|---|---|---|

7 내용 파악

이 글을 읽고 알 수 <u>없는</u> 내용은 무엇입니까?

① 라이트 형제는 1903년에 처음으로 비행에 성공했어요.

② 라이트 형제가 최초로 비행한 시간은 36.5초예요.

③ 라이트 형제가 세운 비행기 회사의 이름은 아메리칸 라이트예요.

④ 라이트 형제가 첫 비행에 성공한 비행기의 이름은 플라이어호예요.

8 추론

라이트 형제가 ㉮와 같은 행동을 한 이유는 무엇입니까?

① 헬리콥터 장난감이 고장 나서 슬펐기 때문입니다.

② 처음으로 비행에 성공하여 매우 기뻤기 때문입니다.

③ 비행기를 제작하는 방법을 깨달아서 기뻤기 때문입니다.

④ 사람은 하늘을 날 수 없다는 생각이 들었기 때문입니다.

9 내용 적용

㉠~㉣ 중, [보기]의 내용과 가장 관련이 깊은 것은 무엇입니까?

보기
마음속에 굳어 있어 변하지 않는 생각을 '고정 관념'이라고 한다.

① ㉠   ② ㉡   ③ ㉢   ④ ㉣

한눈에 보는
약점 유형 분석

틀린 문제에 ✔표를 하세요.

❶ 내용 파악	❷ 추론	❸ 내용 파악	❹ 내용 적용	❺ 추론	❻ 중심 내용	❼ 내용 파악	❽ 추론	❾ 내용 적용

글 읽기를 위한 어휘 연습

중요한 낱말을 다시 한번 확인하고 □에 써 보세요.

인공적 (사람 人, 장인 工, 과녁 的)	사람의 힘으로 만들어 낸. 예 그의 작품은 ☐☐☐ 인 모습이 느껴지지 않는다.
측정 (잴 測, 정할 定)	길이나 무게 따위를 재어서 정함. 예 이 거리를 ☐☐ 해 보십시오.
경계 (장소 境, 경계 界)	어떤 지역과 다른 지역 사이에 일정한 기준으로 구별되는 한계. 예 이 선을 ☐☐ 로 하여 서울이 시작된다.
무례 (없을 無, 예절 禮)	태도나 말에 예의가 없음. 예 어른들이 말씀하실 때 끼어드는 것은 ☐☐ 한 행동이다.
진화 (나아갈 進, 될 化)	생물이 생명의 기원 이후부터 점진적으로 변해 가는 현상. 예 인류는 오랜 세월에 걸쳐 ☐☐ 해 왔다.
정화 (깨끗할 淨, 될 化)	더러운 것을 없애 깨끗하게 함. 예 나무는 대기의 오염 물질을 ☐☐ 해 주기도 한다.
점검 (점 點, 검사할 檢)	낱낱이 검사함. 또는 그런 검사. 예 우리는 인원 ☐☐ 이 끝나자 곧바로 출발했다.
현황 (나타날 現, 상황 況)	현재의 상황. 예 박물관의 운영 ☐☐ 을 알고 싶습니다.

어휘력 쑥쑥 테스트

[01~04] 다음의 뜻에 알맞은 단어를 [보기]에서 찾아 쓰시오.

> **보기**
>
> 정화   측정   무례   점검

01 태도나 말에 예의가 없음.

02 더러운 것을 없애 깨끗하게 함.

03 낱낱이 검사함. 또는 그런 검사.

04 길이나 무게 따위를 재어서 정함.

[05~07] 주어진 뜻을 읽고, 빈칸에 알맞은 낱말을 넣어 문장을 완성하시오.

05 이산가족의 □□을 조사해 보았다.

* 뜻: 현재의 상황.

06 이곳은 인도와 차도의 □□가 없어 위험하다.

* 뜻: 어떤 지역과 다른 지역 사이에 일정한 기준으로 구별되는 한계.

07 고래가 육지 동물에서 바다 동물로 □□한 증거가 발견되었다.

* 뜻: 생물이 생명의 기원 이후부터 점진적으로 변해 가는 현상.

08 주어진 문장을 읽고, □에 공통으로 들어갈 낱말을 쓰시오.

> ㅇ ㄱ ㅈ
>
> ① 그의 작품은 □□□인 느낌이 없다.
> ② □□□인 산삼 재배에 성공하였다.

11~15 일차

동화　문제 ❶～❷

　　이사 온 지 얼마 안 되는 선미는 주위에 아는 아이가 하나도 없어 무척 심심했다. 그러던 어느 날 옆집에 누가 이사를 왔는데 선미 또래의 아이가 있었다. 선미는 그 아이를 집 앞에서 몇 번 마주쳤지만 말을 붙이지 않았다. 선미는 엄마한테 말했다.

　　"엄마, 옆집 아이하고 놀고 싶은데 그 애가 말을 안 걸어요."

　　"그럼 네가 먼저 말을 해 봐."

　　"그건 싫어요. 용기가 없어요."

　　"아냐, 용기는 누구에게나 있어. 네가 없는 줄 아는 거지. 그 애도 너랑 몹시 놀고 싶을 거야. 네가 처음 이사를 왔을 때처럼 하루 종일 얼마나 심심하겠니? 그 애를 위해서라도 네가 한번 용기를 내 보렴."

　　"어떻게 용기를 내요?"

　　"네가 '용기야, 어서 나와라.'라고 하면 용기가 튀어나올 거야. 다음에 만나면 꼭 말을 걸어 봐. 그 애는 네가 말을 걸어 주길 기다리고 있을 거야."

– 용기야, 어서 나와라 _ 채인선

핵심 요약에
체크해 보세요.

일상생활에서 겪었던 [□상상 / □경험]을 바탕으로 용기가 필요한 상황을 재미있게 꾸며 낸 [□동화 / □광고문]입니다.

1 이 글의 핵심 낱말은 무엇입니까?

핵심어

① 용기　　　　② 믿음　　　　③ 배려심　　　　④ 이기심

2 엄마가 선미에게 하라고 한 것은 무엇입니까?

중심 내용

① 친구와 마주치면 인사를 잘 해라.

② 친구를 속이지 말고 사실대로 말해라.

③ 친구가 먼저 말을 걸 때까지 기다려라.

④ 친구와 친해질 수 있게 먼저 말을 걸어라.

스케이팅은 눈과 얼음이 많은 북쪽 지역에서 처음 생겨났어요. 미끄러운 길을 편리하게 오가기 위해서였지요. 하지만 처음부터 스케이트를 탄 것은 아니에요. 오래 전 석기시대에는 물건을 운반하기 위해 동물의 뼈로 만든 썰매를 이용했어요. 기원전 3000년경 핀란드 사람들은 동물의 뼈로 만든 스케이트를 타고 꽁꽁 언 땅을 건넜지요. 1200년대 네덜란드 사람들은 나무에 쇠로 만든 날을 달아 사용했어요. 이후 스케이트는 점점 발달하여 현재의 모습을 갖추었고, 생활 도구에서 놀이 도구로 발전했답니다.

스케이팅 경주가 처음 시작된 곳은 1676년 네덜란드로 알려져 있어요. 1892년에는 역시 네덜란드가 주도하여 국제 스케이팅 연맹을 만들면서 스케이트는 국제 스포츠로 발돋움했지요. 우리나라에서는 캐나다 선교사 질레트가 스케이트를 전하면서 시작되었어요. 이후 꾸준히 발전하여 우리나라는 이제 엄연한 스케이팅 강국이 되었습니다.

– 스케이팅은 어떻게 시작되었을까?

핵심 요약에 체크해 보세요.

스케이팅의 유래와 함께 [☐ 생활 도구에서 놀이 도구 / ☐ 놀이 도구에서 생활 도구]로 발전해 온 스케이트에 대해 [☐ 감상을 적은 / ☐ 설명하는] 글입니다.

❸ 다음의 빈칸에 알맞은 말을 쓰시오.

중심 내용

> 스케이팅은 눈과 얼음이 많은 북쪽 지역에서 처음 생겨났으며, 스케이팅 경주는 1676년 ☐☐☐☐에서 처음으로 시작되었어요.

❹ 이 글을 읽은 학생의 생각으로 알맞지 <u>않은</u> 것은 무엇입니까?

내용 적용

① 옛날에는 동물의 뼈로 스케이트를 만들었구나.

② 스케이트는 생활 도구에서 놀이 도구로 발전했구나.

③ 핀란드가 주도하여 국제 스케이팅 연맹이 만들어졌구나.

④ 캐나다 선교사 질레트가 우리나라에 스케이트를 전했구나.

멀리 있는 사람과도 전화 통화를 하면 직접 만나지 않아도 이야기를 나눌 수 있어 편리합니다. 하지만 서로 얼굴을 보지 않고 이야기하기 때문에 상대방에게 듣고 있다는 표시를 해 줘야 합니다.

전화를 걸 때에는 꼭 알아둘 점이 있습니다. 먼저 전화를 거는 사람이나 받는 사람은 "여보세요"라고 말하는데, 이는 전화 통화가 시작될 때 상대방을 부르기 위해 주로 사용하는 말입니다. 그리고 용건을 이야기하기 전에 자기가 누구인지 말하고, 주변 사람들에게 피해가 가지 않도록 작은 목소리로 이야기해야 합니다. 용건은 정확하고 구체적으로 말해야 하고, 통화는 짧고 간단히 하는 게 좋습니다. 또한 혼자서만 이야기하면 안 됩니다. 상대방도 말할 수 있게 상대방의 이야기를 끝까지 들어줘야 합니다. 만약, 전화가 끊기면 전화기를 내려놓고 잠시 기다렸다가 다시 걸면 됩니다. 어른과 통화할 때는 어른이 먼저 전화를 [㉠] 때까지 기다리는 것이 좋습니다.

자, 그럼 아래의 상황을 보고 잘된 점과 잘못된 점을 찾아 이야기해 볼까요?

민기: (전화를 건다. 따르릉! 따르릉!)

나연: 여보세요?

민기: 난데 네가 지난번에 보던 그 책 좀 빌려줘.

나연: (당황해 하며) 어. 안녕. 민기야. 어떤 책을 말하는 건데?

민기: 네가 지난번에 보던 그 책 있잖아. 뭐더라…….

나연: 아, 엄마 마중?

민기: 어, 맞아.

나연: 그래. 나 다 읽었으니 빌려줄게. 언제 줄까?

민기: 지금 바로 너희 집에 가도 돼? 그 책 얼른 보고 싶거든.

나연: 그래. 그럼 나 집에 있으니 아무 때나 와.

민기: 고마워. 그럼 이따가 보자. 안녕.

나연: 그래. 이따 봐. 안녕.

– 전화 통화에 대해 알아보아요 _ 로운어린이교육연구회

핵심 요약에 체크해 보세요.   [□전화 통화를 할 때 / □문자 메시지를 보낼 때] 주의해야 할 점을 [□주장하는 / □설명하는] 글입니다.

5 이 글의 내용으로 알맞지 <u>않은</u> 것은 무엇입니까?

내용 파악

① 전화를 받을 때 사람들은 보통 '여보세요'라고 말합니다.

② 전화 통화를 할 때에는 상대방이 잘 듣게 큰 소리로 이야기해야 합니다.

③ 전화 통화를 하면 상대방을 만나지 않고도 대화를 나눌 수 있습니다.

④ 전화 통화를 할 때에는 상대방에게 듣고 있다는 표시를 해야 합니다.

6 '민기와 나연의 전화 통화'에 대한 설명으로 알맞은 것은 무엇입니까?

내용 파악

① 전화를 건 사람은 나연입니다.

② 전화를 받은 사람은 민기입니다.

③ 민기와 나연은 전화를 끊을 때 서로 인사를 했습니다.

④ 민기는 나연이 용건을 한 번에 알아듣도록 이야기했습니다.

7 민기와 나연의 전화 통화에서 <u>잘못된</u> 점을 모두 고른 것은 무엇입니까?

내용 적용

┌─ 보기 ─────────────────────────────────┐

가. 전화를 건 사람은 자신이 누구인지 명확히 밝히지 않았습니다.

나. 상대방의 이야기를 끝까지 들어주지 않았습니다.

다. 전화를 건 용건이 정확하고 구체적이지 못했습니다.

라. 전화 통화를 하면서 필요 없는 이야기를 길게 늘어놓았습니다.

└───┘

① 가, 나   ② 나, 다   ③ 다, 라   ④ 가, 다

8 ㉠에 들어갈 알맞은 말은 무엇입니까?

어휘

| 끊을 | 끄늘 |

한눈에 보는
약점 유형 분석

틀린 문제에 ✔표를 하세요.

1 핵심어	**2** 중심 내용	**3** 중심 내용	**4** 내용 적용	**5** 내용 파악	**6** 내용 파악	**7** 내용 적용	**8** 어휘

전래 동화   문제 ❶~❷

옛날에 다람쥐 세 마리가 먹음직스러운 도토리 하나를 주웠어요. 세 다람쥐는 도토리를 보고 서로 자기 것이라고 우겼어요.

"내가 제일 먼저 봤으니까 도토리는 내 것이야."

"내가 먼저 말을 했으니까 도토리는 내 것이야."

"내가 먼저 주웠으니까 도토리는 내 것이야."

아무리 말다툼을 해도 결론이 나지 않아 다른 동물에게 가서 물어보기로 했어요.

먼저, 눈이 밝은 부엉이에게 가서 물어봤어요.

부엉이는 "뭐니 뭐니 해도 눈 밝은 게 제일이지. 먼저 본 다람쥐가 주인이야."

앵무새는 "뭐니 뭐니 해도 말 잘하는 게 제일이지. 먼저 말한 다람쥐가 주인이야."

토끼는 "뭐니 뭐니 해도 재빠른 게 제일이지. 먼저 주운 다람쥐가 주인이야."

그러자 먹보 다람쥐는 "먼저 보는 것도, 먼저 말을 하는 것도, 먼저 줍는 것도 소용없어. 먼저 먹는 다람쥐가 주인이야."라고 말하며 도토리를 삼켜 버렸어요.

– 먹보 다람쥐의 도토리 재판 _ 서정오

핵심 요약에 체크해 보세요.

[□식물들 / □동물들]을 사람인 것처럼 표현하여 교훈이나 깨달음을 주는 [□동시 / □동화]입니다.

❶ 추론

다람쥐 세 마리가 싸운 이유는 무엇입니까?

① 도토리를 먹기 싫어서 싸웠습니다.

② 도토리를 토끼에게 주고 싶어서 싸웠습니다.

③ 도토리를 서로 자기 것이라고 생각해서 싸웠습니다.

④ 도토리를 나누는 방법을 두고 의견이 달라서 싸웠습니다.

❷ 내용 파악

결국 도토리를 먹은 다람쥐는 누구입니까?

① 먹보 다람쥐   ② 먼저 본 다람쥐

③ 먼저 주운 다람쥐   ④ 먼저 말한 다람쥐

보고 싶은 삼촌께

　삼촌, 어떻게 지내고 계세요? 지난번 편지 받고 별일 없이 잘 지내고 계시다는 거 알았어요. 삼촌, 저도 건강히 잘 지내고 있어요. 또 아빠 엄마 말씀도 잘 듣고요.

　삼촌께서 보내 주신 장갑을 끼고 얼마나 기뻐했는지 몰라요. 그래서 이렇게 삼촌께 감사의 편지를 쓰는 거예요. 삼촌께서 장갑을 선물해 줬다고 ㉠친구들이 무척 저를 부러워해요. 엄마도 저에게 장갑을 사 주려고 했는데 삼촌이 미리 알고 사 보내 주셨다면서 아주 좋아하셨어요.

　삼촌 사랑해요. ㉡삼촌이 장갑을 사 줬다고 이런 말씀 드리는 거 아니에요. 항상 저를 아껴 주시고 저의 마음을 잘 알아주셔서 저는 정말 삼촌이 좋아요. 제가 삼촌을 얼마나 사랑하고 있는지 삼촌이 더 잘 알고 계실 거예요.

　그럼 오늘은 이만 줄일게요. 안녕히 계세요.

○월 ○○일　　조카 수진 올림

핵심 요약에 체크해 보세요.

수진이가 삼촌에게 선물을 받아서 [□미안함 / □감사함]과 사랑하는 마음을 담아 쓴 [□편지글 / □기행문]입니다.

---

❸ 이 글의 내용으로 알맞지 <u>않은</u> 것은 무엇입니까?

내용 파악

① 받는 사람의 안부를 물었습니다.

② 받는 사람이 누구인지 썼습니다.

③ 받는 사람에게 첫인사를 했습니다.

④ 받는 사람에게 나의 안부를 전했습니다.

---

❹ 다음은 ㉠의 이유입니다. 빈칸에 알맞은 말을 쓰시오.

추론

　　☐☐이 나에게 선물로 ☐☐을 보내 주셨기 때문입니다.

---

❺ ㉡을 높임 표현을 사용하여 바르게 쓰시오.

문법 지식

　　삼촌☐☐ 장갑을 사 ☐☐☐고 이런 말씀 드리는 거 아니에요.

설명하는 글   문제 ⑥~⑨

책을 빌리기 위해서는 먼저 내가 빌리고자 하는 책이 우리 도서관에 있는지 찾아봐야겠죠? 자료실에서 무작정 책을 찾고자 한다면, 수많은 책 속에서 내가 원하는 책을 찾기란 쉽지 않을 거예요. 그럼 어떻게 해야 할까요? 우선 도서관 컴퓨터를 통해 '책 찾기'를 해야 해요. 다음 설명에 따라 천천히 한번 체험해 보세요. 아마 쉽게 익힐 수 있을 거예요.

첫 번째는 도서관에 있는 컴퓨터에서 '책 찾기'를 합니다. 검색창에 찾고자 하는 책의 제목을 입력한 후 검색 버튼을 누르면 우리 도서관에 있는 책 제목이 나타납니다. 그러므로 내가 찾고자 하는 책에 대한 대강의 정보를 알고 있어야 합니다.

두 번째는 검색 결과를 확인합니다. 간략 정보 화면에서 책 제목을 누르면 찾는 책의 자세한 정보를 볼 수 있어요. 상세 정보 화면에서는 찾는 책에 대한 '소장 정보'를 확인할 수 있어요. '소장 정보'에서는 책의 등록 번호, 도서 상태, 소장처, 반납 예정일 등을 알 수 있어요. 도서 상태는 '대출 중' 또는 '대출 가능' 등의 정보를 보여 주는 거예요.

세 번째는 찾을 책의 청구 기호를 적습니다. 찾은 책이 '대출 가능'으로 되어 있다면 그 책의 '청구 기호'와 '소장처'를 메모합니다.

네 번째는 서가에서 책을 직접 찾습니다. 내가 찾고자 하는 책에 대한 소장처를 확인한 후 그 자료실로 갑니다. 직접 서가에서 책을 찾아야 하는데, 이때 '청구 기호'는 책의 정확한 위치를 나타내므로 책을 빠르고 쉽게 찾을 수 있게 도움을 줍니다.

– 도서관에서 책을 어떻게 빌려 볼까요? _ 김영태

 핵심 요약에 체크해 보세요.

[☐박물관 / ☐도서관]에서 책을 찾는 방법을 순서대로 [☐주장하는 / ☐설명하는] 글입니다.

---

6 책 찾기의 '상세 정보 화면'을 통해 알 수 <u>없는</u> 것은 무엇입니까?

내용 파악

① 소장처

② 도서 상태

③ 책의 등록 번호

④ 책의 전체 쪽수

66   초등 국어 **독해왕** 〈3단계〉

7
추론

서가에서 책을 찾을 때 청구 기호가 필요한 이유는 무엇입니까?

① 책의 위치를 알려 주어 책을 빠르게 찾을 수 있기 때문입니다.

② 도서관의 위치를 알려 주어 빠르게 도서관에 갈 수 있기 때문입니다.

③ 반납 예정일을 알려 주어 책을 제때에 반납할 수 있기 때문입니다.

④ 도서 상태를 알려 주어 책이 있는지 없는지를 알려주기 때문입니다.

 8
일의 순서

책을 빌리기 위해 가장 마지막에 하는 일은 무엇입니까?

① 서가에서 책을 직접 찾습니다.

② 컴퓨터로 책 찾기를 합니다.

③ 책에 대한 검색 결과를 확인합니다.

④ 찾을 책의 청구 기호를 적어 둡니다.

 9
글의 목적

이 글을 읽고 이야기한 내용으로 알맞은 것은 무엇입니까?

① 도서관 홈페이지의 이용 방법을 알게 되어 도움이 되었어요.

② 도서관에서 책을 빌리는 방법을 알게 되어 도움이 되었어요.

③ 우리나라에 있는 도서관의 종류를 알게 되어 도움이 되었어요.

④ 도서관에서 빌린 책을 반납하는 방법을 알게 되어 도움이 되었어요.

한눈에 보는
약점 유형 분석

틀린 문제에 ✔표를 하세요.

❶ 추론	❷ 내용 파악	❸ 내용 파악	❹ 추론	❺ 문법 지식	❻ 내용 파악	❼ 추론	❽ 일의 순서	❾ 글의 목적

토론 문제 ❶~❷

사회자: 오늘은 '어른에게 존댓말을 반드시 써야 한다.'라는 주제로 토론을 해 보도록 하겠습니다. 찬성 측부터 말씀해 주세요.

승 헌: 저는 존댓말을 반드시 써야 한다고 생각합니다. 우리나라는 예로부터 예의를 중요하게 여겼습니다. 존댓말을 쓰면 부모님이나 선생님 같은 어른들에 대한 예의를 지킬 수 있게 됩니다. 존댓말을 쓰지도 않으면서 웃어른에게 예의를 지킨다는 것은 생각과 말이 같지 않은 모습이라고 할 수 있습니다.

선 우: 저도 우리나라가 예의를 중요하게 생각해 왔다는 것에는 동의합니다. 하지만 존댓말은 너무 복잡해서 외국인들도 헷갈려 합니다. 저는 존댓말을 쓰지 않더라도 행동으로 예의를 지키고 남을 존중하면 된다고 생각합니다. 또 존댓말을 쓰면 서로 친해지기도 어렵습니다. 그러므로 저는 존댓말을 반드시 쓸 필요는 없다고 생각합니다.

핵심 요약에 체크해 보세요.

'어른에게 [□존댓말 / □줄임말]을 반드시 써야 한다.'를 주제로 진행한 [□토론 / □광고]입니다.

1 중심 내용

'승헌'이 존댓말을 써야 한다고 주장하는 이유는 무엇입니까?

① 어른들에 대한 예의를 지킬 수 있다.

② 어른을 공경하는 마음을 드러낼 수 없다.

③ 말하는 사람과 듣는 사람이 친해질 수 없다.

④ 존댓말은 외국인에게도 간단하고 쉽게 배울 수 있다.

2 내용 적용

다음의 대화를 들은 승헌과 선우의 반응으로 알맞은 것은 무엇입니까?

| 할아버지: 민재야, 밥 먹어라. 손자: 어. 알았어. 갈게. |

① 승헌: 할아버지께 예의를 지킨 말하기입니다.

② 선우: 너무 복잡해서 외국인도 헷갈려 하는 말하기입니다.

③ 선우: 민재와 할아버지가 서로 친해지기 어려운 말하기입니다.

④ 승헌: 할아버지를 공경하는 마음이 나타나지 않는 말하기입니다.

1593년, 권율 장군은 행주산성에서 왜군과의 전투를 준비했습니다. 명나라 군대가 왜군에게 패하고 평양으로 돌아갔기 때문에 전세는 그다지 좋지 않았습니다.

의병장 김천일이 의병을 이끌고 행주산성으로 들어왔지만 정규 병력은 3000명이 되지 않았습니다. 더구나 행주산성은 앞쪽만 뚫려 있고 뒤에는 한강이 흐르고 있으므로 물러설 곳도 없었습니다.

"왜군이다! 모두 싸울 준비를 해라!"

드디어 3만 명이나 되는 왜군이 물밀 듯이 밀려왔습니다. 권율 장군은 침착함을 잃지 말라며 군사들에게 화살을 쏘게 했습니다. 이어 성으로 올라오려는 왜군을 향해 돌을 던지거나 뜨거운 물을 쏟아붓게 했습니다.

훈련을 받은 병사는 물론 자발적으로 전투에 참여한 민간인 의병과 승려, 그리고 성 안의 백성들은 온 힘을 다해 왜군을 공격했습니다. 그 결과 왜군은 1만 명 이상이 죽거나 다치는 피해를 입고 물러갔습니다. 이른바 행주 대첩은 조선의 승리로 끝났습니다.

핵심 요약에 체크해 보세요.

행주산성에서 [□강감찬 장군 / □권율 장군]과 김천일을 비롯한 의병, 승려, 성 안의 백성들이 힘을 합쳐 왜군을 무찌른 이야기를 담은 [□전기문 / □기행문]입니다.

❸
내용 파악

'행주 대첩'에 대한 설명으로 알맞지 <u>않은</u> 것은 무엇입니까?

① 권율 장군이 승리한 전투입니다.

② 명나라 군대의 도움을 받았습니다.

③ 승려와 백성들도 자발적으로 참여했습니다.

④ 의병장 김천일이 의병을 이끌고 도와주었습니다.

❹
추론

다음은 이 글의 내용을 요약한 것입니다. 빈칸에 알맞은 말은 무엇입니까?

> 행주 대첩은 권율 장군을 비롯한 많은 사람들이 서로 ☐☐하여 왜군으로부터 승리를 거둔 전투입니다.

① 협동   ② 축하   ③ 칭찬   ④ 찬성

우리는 좋은 습관을 길러야 합니다. 작은 습관이 모여 결국은 큰 변화를 만들기 때문입니다. 습관이란 어떤 행동을 오랫동안 되풀이하면서 저절로 몸에 익은 행동 방식을 말합니다. 예를 들면 꾸준히 일기를 쓴다든가 말을 바르고 곱게 하는 것, 몸을 깨끗이 잘 씻는 것 따위는 작지만 좋은 습관입니다. 그러면 좋은 습관이 무엇인지 알아보고, 왜 좋은 습관을 기르려고 노력해야 하는지를 알아보겠습니다.

첫째, 약속을 잘 지키는 습관을 길러야 합니다. 약속은 자신이나 다른 사람과 어떤 일을 지키기로 다짐한 것이기 때문입니다. 우리는 살면서 약속을 자주 합니다. 약속을 잘 지키면 주변 사람들에게 믿음을 줄 수 있습니다. 그리고 사람들과 사이도 좋아집니다. 이처럼 약속을 잘 지키는 것은 기본적인 예절이므로, 약속을 잘 지킬 수 있도록 노력해야 합니다.

둘째, 날마다 운동하는 습관을 길러야 합니다. 날마다 운동을 하면 몸과 마음이 건강해지기 때문입니다. 아침 일찍 일어나 달리기나 줄넘기 같은 운동을 하면 하루를 활기차게 시작할 수 있습니다. 그리고 그날 무엇을 할지 생각해 보는 여유도 생깁니다. 이처럼 날마다 운동을 하면 우리 생활에 많은 도움이 되므로, 날마다 운동하는 습관을 기르도록 노력해야 합니다.

셋째, 고마워하는 마음을 표현하는 습관을 길러야 합니다. 작은 일에도 고마워하는 마음을 표현하면 주변 사람과 자기 자신 모두를 행복하게 만들 수 있기 때문입니다. 맛있는 음식을 먹을 수 있고, 안전한 곳에서 잠을 잘 수 있는 것처럼 우리에게는 고마워할 일이 참 많습니다. 그러므로 작은 일에도 고마워하는 마음을 표현하는 습관을 길러야 합니다.

습관은 우리 삶에서 아주 중요한 역할을 합니다. 어떤 행동을 자주 하다 보면 습관이 되어 우리 삶을 바꿀 수 있습니다. 자신의 삶을 발전시키는 좋은 습관이 있는가 하면 좋지 않은 습관도 있습니다. 우리 모두 좋은 습관을 기를 수 있도록 꾸준히 노력합시다.

핵심 요약에 체크해 보세요.

좋은 [□습관 / □생각]을 길러야 한다고 [□주장하는 / □설명하는] 글입니다.

5
어휘

'어떤 행동을 오랫동안 되풀이하면서 저절로 몸에 익은 행동 방식'을 뜻하는 단어를 이 글에서 찾아 쓰시오.

□□

6
글의 주제

이 글에서 글쓴이가 주장하는 것은 무엇입니까?

① 양보하는 습관을 가져야 한다.

② 잘못된 습관을 바로 잡기 위해 노력해야 한다.

③ 다른 사람을 먼저 생각하는 습관을 가져야 한다.

④ 좋은 습관을 가질 수 있도록 꾸준히 노력해야 한다.

7
내용 파악

이 글에 나타난 '좋은 습관'이 <u>아닌</u> 것은 무엇입니까?

① 꾸준히 일기를 쓰는 것   ② 몸을 깨끗이 잘 씻는 것

③ 말을 바르고 곱게 하는 것   ④ 곤란한 상황에서 거짓말을 하는 것

8
내용 파악

'약속을 잘 지키는 습관'을 기르면 좋은 점을 모두 고른 것은 무엇입니까?

보기
가. 몸과 마음이 건강해져요.   나. 사람들과 사이가 좋아져요. 다. 사람들에게 믿음을 줄 수 있어요.   라. 하루를 활기차게 시작할 수 있어요.

① 가, 나   ② 나, 다   ③ 다, 라   ④ 가, 다

9
추론

다음의 서진이가 갖고 있는 '좋은 습관'은 무엇입니까?

> 서진이는 책을 좋아합니다. 그래서 매일 학교 수업이 끝나면 도서관에 가서 책을 한 권씩 읽고 다음날 친구들에게 내용을 말해 주기도 합니다. 그런데 서진이는 책을 읽을 때마다 손톱을 물어뜯기도 합니다.

① 매일 책을 읽는 것   ② 손톱을 물어뜯는 것

③ 일찍 학교에 가는 것   ④ 가끔 도서관에 가는 것

한눈에 보는
약점 유형 분석

틀린 문제에 ✔표를 하세요.

❶ 중심 내용	❷ 내용 적용	❸ 내용 파악	❹ 추론	❺ 어휘	❻ 글의 주제	❼ 내용 파악	❽ 내용 파악	❾ 추론

설명하는 글   문제 ❶~❷

지구가 둥근데 우리가 떨어지지 않는 이유는 지구의 중력 때문이에요. 중력이란 지구의 중심에서 나오는 아주 강한 힘인데, 사람도, 물건도, 바다도 모두 지구 중심으로 끌어당겨요. 그래서 우리는 지구 위에 꼭 붙어서 떨어지지 않는 거랍니다.

그리고 지구는 우주 공간에 덩그러니 떠 있어요. 우주에 떠서는 한시도 쉬지 않고 태양 주위를 빙빙 돌고 있지요. 아래로 떨어지지 않고 우주 공간에 떠서 돈다니 신기하지요? 태양은 아주 강한 중력으로 지구를 끌어당기고 있어요. 하지만 지구는 매우 빠르게 태양 주위를 돌기 때문에 태양으로부터 튕겨 나가려는 원심력을 가지고 있답니다.

한마디로 태양이 지구를 끌어당기는 힘과 지구가 태양으로부터 떨어져 나가려는 힘이 서로 팽팽하게 맞서고 있는 거지요. 그러다 보니 지구가 태양 쪽으로 확 끌려가지도 않고, 지구가 태양으로부터 멀어지지도 않고 우주 공간에 떠 있을 수 있는 거랍니다.

핵심 요약에
체크해 보세요.

[□바다 / □지구]가 우주 공간에 떠 있는 이유와 우리가 둥근 지구 위에 서 있을 수 있는 이유에 대해 [□설명하는 / □광고하는] 글입니다.

❶ 핵심어

다음의 빈칸에 알맞은 말을 쓰시오.

우리가 지구 위에 서 있을 수 있는 까닭은 지구의 중심으로 끌어당기는 힘인 □□ 때문입니다.

❷ 내용 적용

이 글의 내용을 그림으로 나타낸 것입니다. 다음 중 잘못 설명한 것은 무엇입니까?

① 태양이 지구를 끌어당겨요.

② 지구가 우주 공간에 떠 있어요.

③ 지구가 태양에서 점점 멀어져요.

④ 지구가 태양 주위를 돌고 있어요.

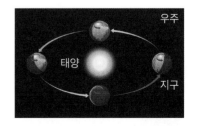

봄맞이 환경 미화를 위한 준비 회의가 3월 25일 교실에서 학급 인원 21명 모두가 참석한 가운데 열렸다. 반장이 진행을 맡아 봄맞이 환경 미화라는 안건을 가지고 토의를 했다. 토의 사항으로는 첫째, 게시판 새로 꾸미기, 둘째, 청소 열심히 하기, 셋째, 교실이 봄 분위기가 날 수 있게 만들기 등의 의견이 나왔다.

이렇게 제시된 의견을 모둠별로 분담하여 역할을 맡기로 했다. 역할 맡기에 대한 자세한 내용으로 1모둠은 게시판 새로 꾸미기, 2모둠은 교실이 봄 분위기가 나도록 만들기, 3모둠은 교실과 복도 청소하기로 정해졌다.

또한 각 모둠의 대표가 책임자가 되어 정해진 역할이 잘 진행되도록 모둠별로 자세한 방법을 생각해 보기로 했다. 1모둠에서는 게시판의 그림을 봄과 어울리도록 새로운 그림으로 바꾸기로 했다. 2모둠에서는 작은 화분을 가져와 교실에 놓고, 봄볕이 교실에 잘 들어오게 유리창을 깨끗이 닦기로 했다. 3모둠에서는 교실과 복도 벽면의 얼룩이나 때를 말끔히 지우고, 교실 바닥을 청소하고 책걸상까지 깨끗이 닦기로 했다. 그런데 3모둠은 할 일이 너무 많아서 1모둠에서 게시판 꾸미기를 빨리 마무리 한 후 도와주기로 했다.

기록자 3학년 2반 부반장 김민지

– 학급 회의를 하고 나서 _ 박진환

핵심 요약에 체크해 보세요.

학생들이 봄맞이 환경 미화를 위해 서로의 [□의견 / □물건]을 주고받은 회의 내용을 쓴 [□광고문 / □회의 기록문]입니다.

❸ 이 글은 어떤 내용의 글입니까?

글의 종류

봄맞이 ☐☐☐☐ 를 위한 준비 회의를 기록한 글입니다.

❹ 이 글의 내용으로 알맞지 <u>않은</u> 것은 무엇입니까?

내용 파악

① 1모둠이 3모둠의 역할을 도와주기로 했어요.

② 2모둠은 작은 화분을 교실에 가져오기로 했어요.

③ 3모둠은 교실과 복도를 청소하기로 했어요.

④ 부반장이 회의를 진행했고, 반장이 기록했어요.

전쟁을 겪으면서 백성들의 생활은 어려워졌어요. 전쟁으로 논과 밭이 훼손되어 많은 사람들이 굶주려야 했지요. 상처를 입은 사람도 많았고, 역병이 돌아 많은 사람들이 죽었어요.

그 당시 우리나라에는 제대로 된 의학 책이 없었어요. 의원들은 중국에서 건너 온 의학 책을 참고하여 환자를 치료했고, 약재의 이름이나 병명 등이 모두 중국어로 되어 있어서 의원들조차 잘 이용할 수 없었어요. 그래서 ㉠선조는 허준에게 명을 내려 우리에게 맞는 의학 책을 만들도록 했어요. 그것이 오늘날까지 높게 평가 받고 있는 『동의보감』이 시작되는 순간이었어요.

허준은 양반집의 서자로 태어났어요. 서자였지만 좋은 교육을 받았고 영리하여 글공부 실력도 뛰어났어요. 그런데 허준이 의학을 공부하게 된 배경에 대해서는 정확히 알려진 사실이 없어요. 다만 의학을 공부하여 높은 양반의 병을 치료하였고, 그 양반의 추천으로 내의원에 들어 간 것으로 알려져 있어요.

허준은 임진왜란 당시 선조가 의주로 피난을 갈 때도 선조의 곁을 지켰으며, 광해군의 병을 치료하여 높은 벼슬까지 올라갔어요. 하지만 허준은 선조가 죽고 나서 귀양을 갈 수밖에 없었어요. 그러나 허준은 70세에 가까운 많은 나이였음에도 『동의보감』을 완성하기 위해 노력했어요. 15년이라는 오랜 세월 동안 중국의 다양한 의학 책을 기준으로 그가 알고 있는 모든 병의 증상과 치료법을 하나하나 기록해 나갔어요. 1596년 선조의 명령을 받고 쓰기 시작한 『동의보감』은 1610년 광해군 2년에야 완성되었어요. 모두 25권이나 되는 『동의보감』은 지금까지도 그 가치를 높이 인정받고 있어요.

– 허준, 동의보감을 완성하다 _ 서지원

핵심 요약에 체크해 보세요.

오늘날까지도 그 가치를 높이 인정받고 있는 의학 책인 [□경국대전 / □동의보감]을 쓴 허준의 이야기를 담은 [□기행문 / □전기문]입니다.

⑤ 다음의 빈칸에 알맞은 말을 쓰시오.

핵심어

허준은 선조의 명으로 우리에게 맞는 의학 책인 [　][　][　][　]을 만들었어요.

6 『동의보감』에 대한 설명으로 알맞지 <u>않은</u> 것은 무엇입니까?

내용 파악

① 모두 25권으로 되어 있어요.

② 광해군 2년에 완성되었어요.

③ 선조의 지시로 만들어졌어요.

④ 우리나라의 의학 책을 기준으로 기록했어요.

 7 ㉠의 이유로 가장 알맞은 것은 무엇입니까?

추론

① 전쟁으로 백성들의 생활이 어려워졌기 때문입니다.

② 우리나라에 제대로 된 의학 책이 없었기 때문입니다.

③ 허준이 총명하고 글공부 실력이 뛰어났기 때문입니다.

④ 허준이 왕실의 병을 치료하여 높은 벼슬에 올랐기 때문입니다.

 8 허준에 대한 내용으로 알맞은 것끼리 묶은 것은 무엇입니까?

내용 파악

┌── 보기 ────────────────────────────────┐

가. 양반으로 태어났어요.

나. 광해군의 병을 치료했어요.

다. 글공부 실력이 뛰어났어요.

라. 아버지의 추천으로 내의원에 들어갔어요.

└──────────────────────────────────────┘

① 가, 나   ② 나, 다   ③ 다, 라   ④ 나, 라

한눈에 보는
약점 유형 분석

틀린 문제에 ✔표를 하세요.

❶ 핵심어	❷ 내용 적용	❸ 글의 종류	❹ 내용 파악	❺ 핵심어	❻ 내용 파악	❼ 추론	❽ 내용 파악

매체 자료   문제 ❶∼❷

자, 화면을 보시죠.

선생님: 나라마다 나라를 대표하는 동물이 있대요. 미국을 대표하는 동물은 누구일까요?

수 리: 바로 나! 흰머리 독수리예요. 내 모습이 힘과 용기를 보여 준다고 해서 미국의 대표 동물로 뽑혔죠. 하하하.

선생님: 이번에는 캐나다를 대표하는 동물을 알아볼까요?

비 버: 영차, 영차. 나예요. 비버! 내가 캐나다를 대표하는 동물이에요. 캐나다 동전에도 내 모습이 새겨져 있다고요, 히히.

선생님: 자, 이번에는 영국의 대표 동물을 만나 보죠.

사 자: 동물의 왕, 사자! 난 영국의 대표 동물이죠. 멋진 모습 덕분에 대표 동물이 되었어요.

선생님: 자, 이제 마지막! 우리나라 대한민국의 대표 동물이 무엇인지 알고 있나요?

호랑이: 어흥, 놀랐죠? 대한민국의 상징은 바로 나 호랑이에요. 강하고 용감한 모습을 나타내기 때문이죠.

– 나라를 대표하는 동물 _ 시공사

핵심 요약에 체크해 보세요.

[□동물원에 사는 / □나라를 대표하는] 동물들에 대해 정보를 [□전달하는 / □광고하는] 내용입니다.

1

내용 파악

다음 동물에 대한 설명으로 알맞은 것은 무엇입니까?

① 캐나다를 대표하는 동물이에요.
② 우리나라를 대표하는 동물이에요.
③ 우리나라 동전에도 새겨져 있어요.
④ 아주 오래 전부터 호주에 살았어요.

2

내용 적용

이 글의 특징으로 알맞은 것은 무엇입니까?

① 이해하기 쉽게 예를 들었어요.

② 장소의 이동에 따라 표현했어요.

③ 동물을 사람인 것처럼 나타냈어요.

④ 동물들의 같은 점을 찾아 설명했어요.

동주네 센둥이는 / 동주가 다니는 학교에

언제부턴가 제 자리를 만들었습니다. / 학교 오는 길에 따라왔다

공부 다 마칠 때까지 / 그곳에서 기다립니다.

이따금 동주가 공부하는 교실에까지 들어와

책상 밑에서 낮잠을 자기도 합니다.

부끄러움 많은 동주가 / 교문 밖으로 아무리 쫓아 보내려 해도 그때뿐

어느새 자기 자리에 와 있습니다.

선생님들의 고함 소리도 소용이 없습니다.

친구들에게 밥을 한 숟가락씩

얻어먹은 센둥이가 어디론가 놀러 갔다

학교 파한 동주보다 앞장서서 집으로 돌아갈 때는

얼마나 늠름한지 모릅니다.

다리를 다쳐 골목길에 쓰러져 있던

강아지를 주워다 이렇게 키워 놓은

㉠동주가 엄마처럼 웃으며 뒤따라갑니다.

－동주의 개 _ 남호섭

핵심 요약에
체크해 보세요.

동주와 [□개 / □고양이]의 우정을 그린 [□동화 / □동시]입니다.

❸

내용 파악

이 시를 읽고 떠올릴 수 없는 장면은 무엇입니까?

① 동주와 센둥이가 같이 학교에 오는 모습

② 동주의 책상 밑에서 센둥이가 자는 모습

③ 친구들에게 밥을 얻어먹는 센둥이의 모습

④ 센둥이가 도둑을 물리치다 다리를 다친 모습

❹

시의 이해

㉠에서 알 수 있는 동주의 마음은 무엇입니까?

① 창피함   ② 나른함   ③ 흐뭇함   ④ 서글픔

황희는 자식을 교육하는 방법이 남달랐다고 해요. 한때 황희의 셋째 아들 황수신은 매우 방탕한 생활을 했어요. 황희는 황수신을 불러 점잖게 타일렀어요.

"애야, 너는 어떤 사람이 참 선비라고 생각하느냐?"

"학문을 갈고 닦아 나라에 도움이 되는 사람입니다."

"그렇게 쓸모 있는 선비가 되려면 어찌해야 하느냐?"

"넓은 마음으로 남의 말에 귀를 기울일 줄 알아야 합니다."

"잘 알고 있구나. 그럼 이 아비의 말에도 귀를 기울여다오. 요즘 네가 학문을 멀리하고 술을 지나치게 마신다고 들었다. 그만 ㉠자제하고 참 선비가 되기 위해 노력하여라."

며칠 후 황수신은 또 다시 술에 취해 비틀거리며 한밤중이 되어서야 집에 돌아왔어요. 대문을 열고 집 안으로 들어서는데 아버지 황희가 관복을 입고 절을 하며 자신을 맞이하고 있지 뭐예요.

"셋째 아드님, 이제 오십니까?"

황수신은 혹시 헛것이 보이는가 싶어 눈을 비볐어요. 하지만 틀림없이 아버지 황희였어요. 황수신은 정신이 번쩍 들었습니다.

"어이쿠, 아버지 왜 이러십니까? 제발 일어나십시오."

"집에 손님이 오셨으니 주인은 옷차림을 바로 하고 맞이하는 것이 예의지요."

"아니, 아버님! 저에게 손님이라니요?"

그러자 황희는 아무렇지 않게 말을 이어갔어요.

"자식이 아비를 진정 부모로 생각한다면 한 번 타일렀을 때 귀담아듣지 않았겠느냐? 네가 나를 부모로 생각하지 않으니, 나도 너를 자식이 아니라 손님으로 대해야겠다."

"아버님!   ㉡   "

그 후 황수신은 자신의 잘못을 크게 뉘우치고, 훗날 아버지의 대를 이어 정승의 자리까지 올랐어요. 이처럼 황희는 잘못한 일은 스스로 깨우치고 고칠 수 있도록 도와주는 어질고 현명한 선비였답니다.

– 자식 앞에 무릎을 꿇은 선비 _ 황근기

핵심 요약에 체크해 보세요.

조선 시대의 정승인 황희가 남다르게 [□손님 / □자식]을 키운 이야기를 통해, 황희가 어떤 사람인지를 밝힌 [□광고문 / □전기문]입니다.

5
글의 종류

이 글은 어떤 글입니까?

① 우리가 잘 모르는 사실을 설명하는 글입니다.

② 실제로 있었던 인물의 일을 기록한 글입니다.

③ 자신의 의견과 그에 대한 이유를 제시한 글입니다.

④ 마음 속에 있던 생각을 노래하듯이 표현한 글입니다.

6
내용 파악

이 글의 내용으로 알맞지 <u>않은</u> 것은 무엇입니까?

① 황희는 황수신에게 절을 했습니다.

② 황희는 밤새 술에 취해 있었습니다.

③ 황수신은 정승 자리까지 올랐습니다.

④ 황희는 관복을 입고 취한 황수신을 맞이했습니다.

7
중심 내용

황희의 자식 교육 방법은 무엇입니까?

① 잘못한 일이 있으면 엄하게 혼내는 것

② 잘못한 일도 너그럽게 받아들여 주는 것

③ 잘못한 일을 스스로 깨우치고 고치게 하는 것

④ 잘못한 일이 생길 때마다 반성문을 쓰게 하는 것

8
어휘

㉠의 의미로 알맞은 것은 무엇입니까?

① 자신이 직접 만들고

② 스스로 참아 다스리고

③ 옳지 않은 길로 꾀어내고

④ 거침이 없이 자기의 뜻대로 하고

9
추론

㉡에 들어갈 알맞은 말은 무엇입니까?

① 제가 잘못했습니다.

② 그동안 감사했습니다.

③ 저는 정말 행복합니다.

④ 앞으로 최선을 다하겠습니다.

한눈에 보는
약점 유형 분석

틀린 문제에 ✔표를 하세요.

❶ 내용 파악	❷ 내용 적용	❸ 내용 파악	❹ 시의 이해	❺ 글의 종류	❻ 내용 파악	❼ 중심 내용	❽ 어휘	❾ 추론

글 읽기를 위한 어휘 연습

중요한 낱말을 다시 한번 확인하고 □에 써 보세요.

주도 (주인 主, 이끌 導)	주동적인 처지가 되어 이끎. *주동적: 어떤 일에 주장이 되어 행동하는. 예 영수는 반 분위기를 [ ][ ] 한다.
엄연한 (엄연할 儼, 그러할 然)	누구도 감히 부정할 수 없을 정도로 뚜렷하다. 예 해가 서쪽으로 지는 것은 [ ][ ][ ] 사실이다.
용건 (쓸 用, 물건 件)	해야 하는 일. 예 전화를 건 [ ][ ] 을 말해 봐라.
대강 (큰 大, 벼리 綱)	자세하지 않고 기본적인 정도로. 예 그의 연설 주제는 [ ][ ] 이러했다.
자발적 (스스로 自, 필 發, 과녁 的)	남에게 의존하지 않고 자기 스스로 나서서 하는. 예 환경 보호에 시민들의 [ ][ ][ ] 참여가 필요하다.
분담 (나눌 分, 멜 擔)	서로 나누어서 맡음. 예 석준이네는 가족 간의 역할 [ ][ ] 이 잘 이루어져 있다.
훼손 (헐 毀, 덜 損)	헐거나 깨뜨려서 못 쓰게 함. 예 우리의 귀중한 문화재를 [ ][ ] 해서는 안 된다.
상징 (코끼리 象, 부를 徵)	사실이나 행동, 느낌 따위를 대표성을 띠는 기호나 사물로 나타내는 일. 예 비너스는 영원한 미의 [ ][ ] 이다.

[01~04] 다음 밑줄 친 단어의 뜻을 [보기]에서 찾아 기호를 쓰시오.

01 시간이 없으니 용건만 간단히 말하겠습니다. (   )

02 그는 두 명씩 짝을 지어 서로의 역할을 분담시켰다. (   )

03 흰색은 평화를 상징한다. (   )

04 교통질서는 시민들의 자발적 노력이 필요하다. (   )

보기

㉠ 남에게 의존하지 않고 자기 스스로 나서서 하는.
㉡ 해야 하는 일.
㉢ 사실이나 행동, 느낌 따위를 대표성을 띠는 기호나 사물로 나타내는 일.
㉣ 서로 나누어서 맡음.

[05~08] 다음 문장의 빈칸에 알맞은 단어를 찾아 연결하시오.

05 우리 단체는 시민의 [   ] 아래 만들
어졌다.   • 대강

06 시간이 너무 늦어 나는 일을 [   ] 처
리하고 집에 갔다.   • 훼손

07 가로수들이 자동차의 매연으로 심각하게
[   ] 되고 있다.   • 엄연한

08 부모님께 효도해야 하는 것은 자식으로서
의 [   ] 도리이다.   • 주도

16~20 일차

동화   문제 ❶～❷

추워서 코가 새빨간 아가가 [㉠] 전차 정류장으로 걸어 나왔습니다. 그리고 낑낑거리며 안전한 곳에 올라섰습니다. 이내 전차가 왔습니다. 아가는 갸웃하고 차장더러 물었습니다.

"우리 엄마 안 오?" / "너희 엄마를 내가 아니?"

하고 차장은 '땡땡'하면서 지나갔습니다.

또 전차가 왔습니다. 아가는 또 갸웃하고 차장더러 물었습니다.

"우리 엄마 안 오?" / "너희 엄마를 내가 아니?"

하고 이 차장도 '땡땡'하면서 지나갔습니다. 그 다음 전차가 또 왔습니다. 아가는 또 갸웃하고 차장더러 물었습니다.

"우리 엄마 안 오?" / "오! 엄마를 기다리는 아가구나."

하고 이번 차장은 내려와서,

"다칠라. 너희 엄마 오시도록 한 군데만 가만히 섰거라, 응?" / 하고 갔습니다.

아가는 바람이 불어도 꼼짝 안 하고, 전차가 와도 다시는 묻지도 않고, 코만 새빨개서 가만히 서 있습니다.

– 엄마 마중 _ 이태준 외

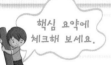

핵심 요약에 체크해 보세요.

[□아빠 / □엄마]를 기다리는 아가의 마음을 그린 [□동화 / □동시]입니다.

1

어휘

㉠에 들어갈 말로, '키가 작은 사람이 이리저리 찬찬히 걷는 모양.'을 뜻하는 낱말을 쓰시오.

☐ ☐ ☐ ☐

2

중심 내용

이 글의 내용으로 알맞지 <u>않은</u> 것은 무엇입니까?

① 아가가 기다리던 전차가 도착했습니다.

② 아가는 차장과 이야기를 나누었습니다.

③ 아가는 바람이 부는 추운 날에 밖에 있습니다.

④ 아가는 전차 정류장에서 엄마를 기다리고 있습니다.

ㄴ○○○년 ○월 ○일, 날씨 흐림

동생과 함께 병원 놀이를 했다. 내가 먼저 의사를 했다.

"어디가 아파서 왔어요?"

"발이 아파서 왔어요."

붕대로 발을 조금 감싸고 테이프를 붙여 주었다. ㉠그랬더니 동생이 하룻밤도 지나지 않았는데 벌써 다 나았다고 했다.

내가 그럴 수가 있나 하고 어리둥절해하자 동생이 말했다.

"언니, 이건 병원 놀이잖아. 그러니까 하룻밤 사이에 다 나을 수 있지. 안 그래?"

생각해 보니 동생이 한 말이 맞는 것 같다.

이건 실제 병원이 아니고, 진짜 아픈 것도 아니니까 자기가 생각했을 땐 하룻밤 사이에 다 ㉡낳았다고 할 수 있었다. 오늘따라 동생이 똑똑해 보였다.

핵심 요약에 체크해 보세요.

동생과 함께 [□병원 놀이 / □소꿉놀이]를 한 것을 바탕으로 자신의 생각과 느낌을 적은 [□편지 / □일기]입니다.

❸ 이 글의 내용으로 알맞지 <u>않은</u> 것은 무엇입니까?

내용 파악

① 나는 동생과 함께 병원 놀이를 했어요.

② 나는 의사를, 동생은 환자 역할을 했어요.

③ 동생은 손이 아파서 병원에 왔다고 했어요.

④ 동생은 하룻밤도 지나지 않았는데 다 나았다고 했어요.

❹ 동생이 ㉠과 같이 말한 까닭은 무엇입니까?

추론

① 병원 놀이라고 여겼기 때문입니다.

② 언니가 잘 치료해 줬기 때문입니다.

③ 발이 아픈 것이 꾀병이었기 때문입니다.

④ 동생이 자기 발을 잘 관리했기 때문입니다.

❺ ㉡을 바르게 고쳐 쓰시오.

어휘

☐ ☐ ☐

낯선 곳에서 길을 잃은 경험이 있나요? 그때 어떻게 길을 찾았나요? 지나가던 누군가에게 물어보거나 지도를 살펴보고 길을 찾았을 거예요. 책을 읽을 때에도 낱말 지도가 필요해요. 낱말 지도가 뭐냐고요? 바로 국어사전이에요. 글을 읽다가 뜻을 잘 모르는 낱말을 발견했을 때, 국어사전에서 그 낱말의 뜻을 찾으면 글의 내용을 쉽게 이해할 수 있지요.

그런데 수많은 낱말이 모여 있는 국어사전에서 원하는 낱말을 찾으려면 어떻게 해야 할까요? 우선 국어사전에 실리는 낱말의 순서를 알아야 해요. 낱말의 순서를 알기 위해서는 찾고자 하는 낱말의 짜임을 살펴봐야 해요. 낱말의 짜임 순서대로 사전을 찾아야 하거든요.

'묻다'라는 글자를 찾아볼까요? '묻다'를 분석해 보면 다음과 같이 이루어진 것을 알 수 있어요.

· 묻: ㅁ + ㅜ + ㄷ

· 다: ㄷ + ㅏ

그런 후에 낱말이 짜인 순서대로 사전을 찾아보면 돼요. 가령 첫소리에 있는 자음 순서대로, 가운뎃소리의 모음 순서대로, 끝소리에 있는 자음 순서대로 낱말을 찾으면 돼요. 그리고 사전에는 같은 낱말이라도 뜻이 여러 개가 나와 있어요. 그러므로 문장 속에서 낱말의 앞뒤 관계를 잘 살펴보고 그 중에서 하나를 선택해야 해요.

책을 읽을 때에는 사전을 옆에 두고 낱말을 찾는 습관을 들여 보세요. 사전을 통해 낱말 찾기 방법을 익히고 습관화시킨다면 어휘력이 쑥쑥 올라갈 거예요!

－국어사전에서 낱말 뜻을 찾으려면 _ 류창기

핵심 요약에 체크해 보세요.

[□영어 사전 / □국어사전]에서 낱말의 뜻을 찾는 방법을 [□광고하는 / □설명하는] 글입니다.

6

글의 목적

이 글에서 설명하고 있는 것은 무엇입니까?

① 책을 읽는 방법

② 낯선 곳에서 길을 찾는 방법

③ 국어사전에 있는 낱말의 종류

④ 국어사전에서 낱말의 뜻을 찾는 방법

7

일의 순서

국어사전에서 낱말을 찾는 순서입니다. 빈칸에 알맞은 내용은 무엇입니까?

> 낱말의 짜임을 분석한다. → [   ] → 사전에 있는 여러 개의 뜻 중에서 하나를 선택한다.

① 문장 속에서 낱말의 앞 뒤 관계를 생각한다.

② 친구와 낱말의 짜임을 잘 분석했는지 비교한다.

③ 사전 찾기를 습관화하기 위해서 다른 사전도 참고한다.

④ 첫소리, 가운뎃소리, 끝소리의 순서대로 낱말을 찾는다.

8

내용 파악

책을 읽을 때 국어사전을 찾는 습관을 들이면 좋은 점은 무엇입니까?

① 어휘력이 올라갑니다.

② 암기력이 좋아 집니다.

③ 감정이 풍부해 집니다.

④ 계산을 빨리 하게 됩니다.

9

내용 적용

국어사전에서 찾을 때, 가장 먼저 나오는 낱말은 무엇입니까?

① 가방
② 국어
③ 나무
④ 다리

한눈에 보는
약점 유형 분석

틀린 문제에 ✔표를 하세요.

❶ 어휘	❷ 중심 내용	❸ 내용 파악	❹ 추론	❺ 어휘	❻ 글의 목적	❼ 일의 순서	❽ 내용 파악	❾ 내용 적용

주장하는 글   문제 ❶~❷

저는 우리 학교 도서관의 책 대출 기간을 연장해야 한다고 생각합니다. 현재 우리 학교 도서관의 책 대출 기간은 5일입니다. 그런데 5일은 책을 빌려서 읽기에는 조금 부족한 시간입니다. 우리는 공부도 해야 하고, 과제도 해야 하며, 집안일도 도와야 합니다. 이런 일들을 하면서 5일 안에 책을 다 읽으려니 시간이 부족합니다. 대출 기간을 조금 더 늘려 주어야 학생들이 여유 있게 책을 읽을 수가 있습니다.

주변 도서관을 조사해 보니, 우리 학교 도서관처럼 대출 기간이 5일인 곳은 없었습니다. 우리 학교 도서관 외에, 동네 어린이 도서관과 이웃 초등학교의 도서관은 대출 기간이 1주일입니다. 이처럼 우리 학교 도서관도 대출 기간을 1주일 정도로 늘렸으면 합니다. 지금보다 2일 정도 시간을 더 준다면, 학생들이 조금 더 천천히 책을 읽을 수 있을 것입니다. 따라서 현재 5일인 대출 기간을 7일로 연장했으면 좋겠습니다.

핵심 요약에 체크해 보세요.

학교 도서관의 책 [☐대출 / ☐판매] 기간을 5일에서 1주일로 연장해야 한다고 [☐주장하는 / ☐안내하는] 글입니다.

1 글쓴이가 책을 읽을 시간이 부족한 이유는 무엇입니까?

내용 파악

① 날마다 학원에 가야 하기 때문입니다.

② 공부도 하고 과제도 해야 하기 때문입니다.

③ 책을 여러 번 반복해서 읽어야 하기 때문입니다.

④ 친구들과 축구도 하고 게임도 해야 하기 때문입니다.

2 글쓴이는 자신의 의견을 뒷받침하기 위해 어떤 조사를 했습니까?

중심 내용

① 대출 기간에 대한 선생님들의 생각을 여쭤보았다.

② 친구들에게 대출 기간이 얼마면 좋을지 물어보았다.

③ 주변의 다른 도서관의 대출 기간은 얼마인지 알아보았다.

④ 책을 한 권 다 읽는 데 걸리는 시간이 얼마인지 재 보았다.

오늘 읽은 『길 아저씨 손 아저씨』는 권정생 작가의 작품입니다. 엄마께서는 권정생 선생님이 동화를 무척 아름답게 쓰셨는데, '강아지 똥', '몽실 언니' 등을 쓰신 분이라고 알려 주시며 책을 읽어 보라고 하셨습니다. '길 아저씨 손 아저씨'의 내용은 이렇습니다.

어릴 적부터 두 다리가 불편한 길 아저씨와, 두 눈이 보이지 않는 손 아저씨가 살았습니다. 두 사람은 부모님의 보살핌 속에서 살았는데 부모님이 돌아가시자 아무것도 할 수가 없었습니다. 어느 날 손 아저씨가 구걸을 하러 다니다 우연히 동네 할머니에게서 길 아저씨의 이야기를 듣게 되었고, 손 아저씨는 길 아저씨를 찾아갔습니다. 두 사람은 금세 마음이 통해 서로 도우며 살기로 했습니다. 손 아저씨는 길 아저씨를 업고 다니며 다리 역할을 했고, 길 아저씨는 손 아저씨에게 업혀 다니며 눈 역할을 했습니다. 처음에는 두 사람이 구걸을 하며 살았지만, 나중에는 힘든 일도 부지런히 하여 남에게 기대지 않고 사이좋게 오래오래 행복하게 살았다는 이야기입니다. 이 책을 통해 좌절하지 않고 서로 도우며 어려움을 극복한 길 아저씨와 손 아저씨의 지혜를 배울 수 있었습니다.

핵심 요약에 체크해 보세요.

『길 아저씨 손 아저씨』에 대한 [□엄마 / □나]의 생각과 느낀 점을 적은 [□독서 감상문 / □기행문]입니다.

❸

내용 파악

이 글의 내용을 다음과 같이 정리했을 때, 알맞지 않은 것은 무엇입니까?

읽게 된 동기	① 엄마가 권정생 선생님에 대해 소개해 주시며, 책을 추천함.
책의 내용	② 길 아저씨는 두 다리가 불편함. ③ 손 아저씨는 두 눈이 안 보임. 길 아저씨와 손 아저씨는 서로 도우며 함께 오래오래 삶.
느낀 점	④ 장애인을 도와주는 마음을 갖자.

❹

글의 주제

글쓴이는 『길 아저씨 손 아저씨』를 읽고 어떤 생각을 하게 되었습니까?

① 서로 도와주며 어려움을 지혜롭게 극복하자.

② 어려운 일은 빨리 포기하고 쉬운 일을 하자.

③ 남을 걱정하기보다는 나 자신을 먼저 돌보자.

④ 협동보다는 내가 직접 친구의 힘든 일을 해 주자.

생활 속에서 쉽게 할 수 있는 운동에 관심이 많아지면서 예전에 볼 수 없던 운동이 많이 늘어나고 있습니다. 이 운동 가운데에는 새로 만든 운동도 있고, 외국에서 예전부터 즐겼지만 우리나라에는 늦게 들어온 운동도 있습니다. 그리고 우리나라 전통 놀이를 새롭게 바꾸어 만든 운동도 있습니다.

새로 만든 운동으로는 ㉠스포츠 스태킹이 있습니다. 스포츠 스태킹은 1980년대에 미국 어린이들이 종이컵으로 하던 놀이에서 생겨난 운동입니다. 이 운동을 할 때는 컵 열두 개를 다양한 방법으로 ㉮쌓고 허무는 기술과 속도가 중요합니다. 이 운동을 하면 근육을 사용하는 능력을 기를 수 있고 집중력을 높일 수 있습니다.

외국에서는 예전부터 즐기던 것인데 최근에 우리나라에 들어온 운동으로는 ㉡슐런이 있습니다. 슐런은 네덜란드에서 즐기던 것인데, 슐박이라는 놀이판 끝에 있는 관문 네 곳에 나무 원반 30개를 밀어서 넣는 운동입니다. 점수가 높은 사람이 이기

는데, 관문마다 점수가 다릅니다. 원반을 네 곳에 골고루 넣으면 추가 점수가 있으므로 한 곳에 몰아넣는 것보다 높은 점수를 얻을 수 있습니다. 슐런은 규칙이 간단해서 누구나 쉽게 배울 수 있으며, 손힘을 조절하는 능력은 기를 수 있고 집중력을 높일 수 있는 운동입니다.

우리나라 전통 놀이를 새롭게 바꾸어 만든 운동에는 한궁이 있습니다. 한궁은 우리나라 전통 놀이인 투호와 외국의 다트를 합쳐서 만든 운동입니다. 자석 한궁 핀을 표적판에 던져 높은 점수를 얻는 사람이 이기며, 왼손과 오른손으로 각각 다섯 번씩 던져야 하기 때문에 양손 근육을 골고루 발달시킬 수 있습니다.

이런 새로운 운동들은 좋은 점이 많습니다. 규칙이 간단해 쉽게 배울 수 있고, 특별한 운동 기술이 없어도 누구나 즐길 수 있습니다. 또 많은 시간과 넓은 공간이 필요하지 않기 때문에 생활 속에서 틈틈이 즐길 수도 있습니다.

-새로운 운동

핵심 요약에 체크해 보세요.

생활 속에서 쉽게 할 수 있는 [□전통 놀이 / □새로운 운동]의 종류와 운동 방법, 좋은 점 등을 [□설명하는 / □광고하는] 글입니다.

5 이 글의 내용을 다음과 같이 정리했을 때, 알맞지 <u>않은</u> 것은 무엇입니까?

중심 내용

1문단	① 새로운 운동이 많이 늘어나고 있다.
2문단	② 스포츠 스태킹은 종이컵으로 하는 새로 생겨난 운동이다.
3문단	③ 슐런은 예전부터 우리나라에 들어온 운동이다.
4문단	④ 한궁은 우리나라의 전통 놀이를 새롭게 바꾸어서 만든 운동이다.
5문단	새로운 운동들은 좋은 점이 많다.

6 ㉠과 ㉡의 공통점은 무엇입니까?

내용 파악

① 집중력을 높일 수 있어요.

② 손힘을 조절하는 능력을 기를 수 있어요.

③ 양손 근육을 골고루 발달시킬 수 있어요.

④ 네덜란드에서 예전부터 즐겨하던 놀이예요.

7 새로운 운동들의 장점이 <u>아닌</u> 것은 무엇입니까?

내용 파악

① 규칙이 간단하고 쉽습니다.

② 많은 시간이 걸리지 않습니다.

③ 넓은 공간이 필요하지 않습니다.

④ 특별한 운동 기술이 필요합니다.

8 ㉮와 바꾸어 쓸 수 있는 낱말은 무엇입니까?

어휘

올려놓고	내려놓고	나란히 놓고

한눈에 보는
약점 유형 분석

틀린 문제에 ✔표를 하세요.

❶ 내용 파악	❷ 중심 내용	❸ 내용 파악	❹ 글의 주제	❺ 중심 내용	❻ 내용 파악	❼ 내용 파악	❽ 어휘

설명하는 글　문제 ❶~❷

　　그리스의 과학자 아르키메데스는 왕에게서 새 왕관이 순금으로 만들어졌는지 확인하라는 명령을 받았어요. 아르키메데스는 하루 종일 그 생각을 하느라 밥도 제대로 먹을 수 없었어요. 너무나 피곤했던 아르키메데스는 커다란 나무통에 뜨거운 물을 받아 놓고 목욕을 하기로 했어요. 뜨끈한 물속에 몸을 푹 담그자, 나무통 밖으로 물이 흘러넘쳐 바닥이 온통 물바다가 되었지요. 그 모습을 본 순간, 아르키메데스의 머리에 어떤 생각이 떠올랐어요.

　　"유레카! 유레카!"

　　아르키메데스는 벌거벗은 채 나무통을 빠져나와 거리로 뛰어나갔어요. '유레카'란 '발견했다.'라는 뜻으로, ㉠왕관이 순금인지 밝혀낼 수 있는 방법을 찾아냈다는 것이었지요. 나무통에서 흘러내린 물의 양은 아르키메데스의 몸무게만큼이었어요. 순금이 밀어내는 물의 양과 왕관이 밀어내는 물의 양이 같으면, 왕관이 순금으로 되어 있다는 뜻이 되는 것이었지요. 그 뒤부터 '유레카'라는 말은 갑자기 떠오른 기발한 생각이나 기술 등을 가리키는 말로 쓰였답니다.

핵심 요약에
체크해 보세요.

아르키메데스가 [☐목욕 / ☐산책]을 하면서 말한 '유레카'의 의미가 무엇인지 [☐광고하는 / ☐설명하는] 글입니다.

❶ 이 글의 핵심어를 찾아 쓰시오.

핵심어

☐☐☐

❷ ㉠의 내용을 다음과 같이 정리했을 때, 빈칸에 들어갈 알맞은 말을 쓰시오.

내용 파악

• 나무통에서 흘러내린 물의 양 = 아르키메데스의 ☐☐☐
• 순금이 밀어내는 물의 양 = ☐☐이 밀어내는 물의 양

"어이구, 뭘 찾느라고 이렇게 정신이 없어?"

"미술 숙제로 만든 깡통 로봇이요! 얼마나 열심히 만든 건데……."

"깡통 로봇이라고? 뒷마당에서 우그러진 깡통 조각들을 보긴 했는데, 그거 아니겠지?"

영수는 깜짝 놀라 벌떡 일어섰어요.

"뭐라구요? 엄마, 언제요?"

"엊그젠가…… 재활용품 수거할 때 다 갖다 버렸는 걸……."

영수는 금방이라도 울음을 터뜨릴 듯 울상이 되었어요.

"그건 내 숙젠데…… 누가 갖다 버렸어?"

"네 물건을 누가 갖다 버리니? 제 물건 제가 간수 안 한 게 잘못이지!"

영수는 태연히 아침밥을 먹고 있는 동생에게 물었어요.

"너… 솔직히 말해. 내 미술 숙제 갖고 놀았지?"

"으응… 그게… 나는 그냥 조금 갖고 논 것뿐이야……."

㉠영수는 마침내 울음을 터뜨리며 주저앉아 버렸어요. 그러자 아버지가 말씀하셨어요.

"이 녀석아, 그렇게 중요한 것이면 미리미리 갈무리를 해 뒀어야지. 누굴 탓하니? 앞으로는 이런 일 없도록 제 물건은 제가 잘 챙겨야 한다!"

–내 깡통 로봇은 어디 갔지 _ 유재화

[□아빠 / □영수]가 미술 숙제를 잃어버리게 된 이야기를 통해 우리에게 깨달음을 주는 [□동화 / □광고문]입니다.

핵심 요약에 체크해 보세요.

❸ **㉠의 이유를 설명한 것입니다. 빈칸에 알맞은 말을 쓰시오.**

추론

미술 숙제로 만든 □□□□을 잘 간수하지 못해 버렸기 때문입니다.

❹ **이 글을 읽고 얻을 수 있는 교훈은 무엇입니까?**

글의 주제

① 용돈을 아껴 써야 합니다.

② 동생과 싸우지 않고 지내야 합니다.

③ 자기 물건을 낭비하지 않아야 합니다.

④ 자기 물건은 스스로 잘 챙겨야 합니다.

　　한창남은 우리 반에서 가장 인기가 있는 친구인데 우리나라 최초의 비행사인 안창남 아저씨와 이름이 비슷하여 별명이 '비행사'이다. 창남이의 성격은 시원스럽고 유쾌하다. 걱정이 있는 친구에게는 재미난 말로 기분을 풀어 주고, 곤란한 일이 있을 때는 좋은 의견을 내 문제를 해결해 주었다.

　　창남이네 집은 가난했다. 모자가 다 해어졌고 바지도 헝겊으로 기워 입고 다녔다. 하지만 창남이는 남의 것을 부러워하지 않았다.

　　한번은 체육 시간에 무서운 체육 선생님이 웃옷을 벗으라고 하자 모두들 벗었는데 창남이만 벗지 않았다.

　　"넌 왜 웃옷을 안 벗니?"

　　그러자 창남이의 얼굴이 빨개졌다.

　　"만년 샤쓰도 괜찮습니까?"

　　"웃옷을 벗어라!"

　　창남이는 할 수 없이 웃옷을 벗었다. 그러자 정말로 맨몸이었다. 선생님은 깜짝 놀라셨고 아이들은 깔깔 웃었다.

　　"너 왜 외투 안에 아무것도 안 입었니?"

　　"없어서 못 입었습니다."

　　㉠이튿날, 창남이는 얇은 웃옷에 해어진 바지를 입고 양말도 안 신고 학교에 왔다. 체육 선생님이 물으셨다.

　　"너 옷이 왜 그 모양이야?"

　　"그저께 저녁 저희 동네에 큰 불이 났습니다. 저희 집도 반이나 넘게 탔어요."

　　"바지는 어제는 입고 있었잖니?"

　　"네, 저희 집은 반만 타서 물건을 몇 가지 건졌지만 이웃집은 모두 타 버렸습니다. 저희 어머니께서 우리는 집이 있어 추운 것은 면할 수 있으니 입을 것 한 벌씩만 남기고 나머지는 동네 사람들에게 나누어 주자고 하셨습니다. 그래서 바지는 어제 옆집의 편찮으신 할아버지께 드렸습니다. 그리고 저는 가을 바지를 꺼내 입었습니다."

－ 만년샤쓰 _ 방정환

핵심 요약에 체크해 보세요.

힘든 환경 속에서도 다른 사람을 배려하며 살아가는 [□나 / □한창남]의 이야기를 다룬 [□동시 / □수필]입니다.

5

핵심어

다음의 빈칸에 알맞은 말을 이 글에서 찾아 쓰시오.

| | | | |는 맨몸을 의미하며 창남이가 가난하다는 것을 나타냅니다.

6

내용 파악

'한창남'에 대한 설명으로 알맞지 <u>않은</u> 것은 무엇입니까?

① 별명은 비행사입니다.　　　　② 수줍음이 많은 편입니다.

③ 성격이 시원스럽고 유쾌합니다.　④ 우리 반에서 가장 인기가 좋습니다.

7

추론

㉠의 이유로 가장 알맞은 것은 무엇입니까?

① 창남이가 더위를 많이 타기 때문입니다.

② 창남이의 동네에 홍수가 났기 때문입니다.

③ 창남이의 동네에 도둑이 들었기 때문입니다.

④ 창남이가 바지를 옆집 할아버지께 드렸기 때문입니다.

8

내용 적용

이 글을 읽고 나눈 대화입니다. 다음 중 글을 바르게 이해한 학생은 누구누구입니까?

수아: 어려운 형편일지라도 남과 가진 것을 나눌 줄 알아야겠다.
승원: 어떤 상황에서도 솔직하고 당당한 모습을 가져야겠다.
슬기: 친구와 맘이 맞지 않더라도 싸우지 않아야겠다.
초록: 선생님의 말씀을 잘 듣는 학생이 되어야겠다.

한눈에 보는
약점 유형 분석

틀린 문제에 ✔표를 하세요.

❶ 핵심어	❷ 내용 파악	❸ 추론	❹ 글의 주제	❺ 핵심어	❻ 내용 파악	❼ 추론	❽ 내용 적용

"내일 국어 시간에는 책씻이를 할 테니까 친구들과 나누어 먹을 간식거리를 조금씩만 가져오세요! 그리고 책씻이가 무엇인지 그 뜻도 알아 오세요!"

"책씻이? 그게 뭐예요? 선생님?"

아이들은 간식거리라는 말은 금방 알아들었지만 '책씻이'라는 말은 알 수가 없었어요.

"책을 씻는다구? 그게 간식거리와 무슨 상관이지?"

영만이는 집으로 돌아오자마자 어머니께 학교에 가져갈 간식을 해 달라고 졸랐습니다.

"갑자기 웬 간식을 가져간다는 거야?"

"선생님이 책 씻는다고 간식을 먹어야 된대!"

영만이는 어머니께 씩씩하게 말했습니다.

"뭐? 책을 씻어? 아하~ 책씻이?! 너희들도 그런 걸 하는구나?"

"그게 뭔지 알아요, 엄마? 그 뜻을 알아 오는 게 숙제예요."

"책씻이는 옛날 서당의 풍습인데, 책 한 권을 다 끝내면 선생님과 친구들에게 고마운 마음을 전하기 위해 떡 같은 음식을 함께 나눠 먹는 일을 뜻하는 아름다운 우리말이야. 책거리라고도 하지."

　　　　　　　　　　　　　　　　　　　　　　　　　　　　　　－ 책씻이 _유재화

핵심 요약에 체크해 보세요.

[☐책씻이 / ☐간식거리]의 뜻과 유래를 알아 가는 학생들의 이야기를 다룬 [☐동화 / ☐광고문] 입니다.

1 '책씻이'와 같은 뜻의 낱말을 이 글에서 찾아 쓰시오.

핵심어

☐☐☐

2 '책씻이'를 하는 이유로 가장 알맞은 것은 무엇입니까?

중심 내용

① 선생님과 친구들에게 고마움을 전하기 위해서입니다.

② 선생님과 친구들에게 미안함을 전하기 위해서입니다.

③ 선생님께 다양한 음식을 맛보여 드리기 위해서입니다.

④ 선생님께서 새로운 책으로 공부를 시작하기 위해서입니다.

동물원에서 동물들을 어떻게 만나야 안전할까요?

첫째, 동물에게 소리를 지르지 않습니다. 철창을 두드리거나 먹이, 돌, 쓰레기 등을 던져서도 안 됩니다. 동물들이 스트레스를 받으면 갑작스럽게 공격적으로 변하는 등 이상 행동을 보일 수 있습니다.

둘째, 창살 사이에 머리를 넣지 않습니다. 머리를 넣었다가 끼이면 위험해질 수 있습니다.

셋째, 울타리에 매달리거나 기대지 않습니다. 오래된 울타리의 경우 몸무게를 버티지 못하고 무너질 수 있습니다.

넷째, 우리 안에 손을 넣지 않습니다. 동물의 날카로운 이빨에 손등이 긁힐 수 있습니다. 육식 동물뿐만 아니라 초식 동물도 공격적인 행동을 보일 수 있습니다.

다섯째, 우리 안에 소지품이 떨어지면 반드시 동물원 관리자에게 도움을 요청합니다. 동물은 낯선 사람이 들어오면 위협을 느끼고 공격적으로 변합니다.

마지막으로 동물을 만진 후에는 반드시 손을 씻습니다. 동물원에서 관리를 받은 동물도 세균이나 기생충이 있을 수 있습니다. 집으로 돌아간 후 옷도 꼭 세탁해야 합니다.

- 동물원에서 안전하게 구경해요 _ 정주일 외

핵심 요약에 체크해 보세요.

[□미술관 / □동물원]에 가서 동물들을 안전하게 만나는 방법에 대해 [□주장하는 / □설명하는] 글입니다.

❸ 이 글을 읽고 난 학생들의 의견으로 알맞지 <u>않은</u> 것은 무엇입니까?

내용 적용

① 고은: 동물을 만진 후에는 꼭 손을 씻어야겠어.

② 서희: 동물원에 다녀와서는 꼭 옷을 빨아야겠어.

③ 주하: 우리 안에 소지품이 떨어지지 않도록 조심해야겠어.

④ 초록: 동물원의 동물들에게 던져줄 먹이를 많이 챙겨 가야겠어.

❹ 이 글의 제목으로 가장 어울리는 것은 무엇입니까?

글의 제목

① 동물원은 어떤 곳일까?

② 동물원 관리자가 하는 일

③ 동물원 이용 시간 및 요금 안내

④ 동물원에서 안전하게 구경하기

도시에서 생활하는 친구들은 산과 숲이 멀리 떨어져 있다고 생각하기 쉽지만 그렇지 않아요. 우리나라 지형을 찍은 위성 지도를 살펴보면 어디에나 짙은 초록색이 땅 전체에 넓게 퍼져 있어요. 곳곳에 산과 숲이 있기 때문이죠.

㉠산과 ㉡숲은 어떻게 다를까요? 산은 평지보다 높이 솟아 있는 땅이에요. 풀과 나무가 울창하게 우거진 곳도 있지만, 나무 한 그루 없는 벌거숭이산도 있지요. 숲은 '수풀'을 줄인 말로, 나무들이 빽빽하게 들어찬 곳을 가리켜요. 숲은 산에도 가꿀 수 있고, 평평한 땅에도 가꿀 수 있어요. 공원이나 건물 사이의 빈 땅에도 숲을 만들 수 있지요.

우리나라는 국토의 약 70퍼센트가 산이에요. 작고 낮은 산부터 한반도에서 가장 높은 백두산, 제주도에 있는 한라산까지 높이도 크기도 제각각이지요. 저 혼자 뚝 떨어져 있는 외톨이 산이 있는가 하면, 끊어질 듯 끊어질 듯 이어진 산도 있어요. 산이 연속되어 나타나는 지형을 '산맥'이라고 해요. 우리나라에서 가장 긴 산맥은 태백산맥이고, 길이는 약 500킬로미터예요.

맨 처음 어떻게 해서 산이 생겨났는지 궁금하지요? 산은 여러 가지 활동으로 만들어졌어요. 아주 먼 옛날 바닷속에서 쌓인 지층이 서로 밀어내면서 땅덩어리가 불쑥 솟아올라 산이 되기도 하고, 화산이 폭발할 때 나온 용암이 굳거나 화산재가 쌓여 산이 만들어지기도 했어요. 땅속에 있는 마그마가 땅을 힘껏 밀어 올려서 산이 솟아나기도 했고요. 어떤 방법이든 산 하나가 만들어지려면 아주 오랜 시간이 필요해요.

– 오랜 시간에 걸쳐 생긴 산 _홍민정

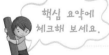
핵심 요약에 체크해 보세요. 숲과 산을 [☐광고하고 / ☐비교하고] 산에 대한 다양한 정보를 [☐설명하는 / ☐주장하는] 글입니다.

⑤

핵심어

이 글에서 주로 설명하고 있는 것은 무엇입니까?

① 산　　　　　② 동굴　　　　　③ 마그마　　　　　④ 우리나라

6 이 글을 읽고 알 수 있는 것을 [보기]에서 모두 고른 것은 무엇입니까?

내용 파악

> ┤ 보기 ├
>
> 가. 한반도에서 가장 높은 산의 이름
> 나. 우리나라에서 가장 넓은 숲의 이름
> 다. 우리나라에서 가장 긴 산맥의 이름
> 라. 우리나라에서 가장 나무가 많은 산의 이름

① 가, 나   ② 나, 다   ③ 다, 라   ④ 가, 다

7 ㉠과 ㉡에 대한 설명으로 알맞은 것은 무엇입니까?

중심 내용

① 산은 평지보다 낮습니다.

② 산에는 반드시 나무가 있습니다.

③ 숲에는 나무들이 빽빽하게 있습니다.

④ 숲은 건물 사이 빈 땅에서는 만들 수 없습니다.

8 산이 생기는 방법이 <u>아닌</u> 것은 무엇입니까?

내용 파악

① 용암이 굳어 산이 되었습니다.

② 화산재가 쌓여 산이 되었습니다.

③ 마그마가 바다 속에서 굳어 산이 되었습니다.

④ 지층이 서로 밀어내면서 땅덩어리가 솟아올라 산이 되었습니다.

한눈에 보는
약점 유형 분석

틀린 문제에 ✔표를 하세요.

❶ 핵심어	❷ 중심 내용	❸ 내용 적용	❹ 글의 제목	❺ 핵심어	❻ 내용 파악	❼ 중심 내용	❽ 내용 파악

설명하는 글 문제 ❶~❷

전자책은 '이북(E-Book)'이라고도 하는데 컴퓨터나 스마트폰, 태블릿 등의 단말기를 통해 볼 수 있는 디지털화된 책입니다. 전자책은 컴퓨터나 단말기에 다운로드하여 읽을 수 있어서 '온라인 콘텐츠'라고 부르기도 합니다. 이러한 온라인 콘텐츠에는 전자책 이외에도 여러 가지 자료가 있지만 우리는 도서관에서 주로 전자책을 이용할 수 있습니다.

우리가 도서관에서 책을 빌리는 것처럼 컴퓨터나 스마트폰에서도 책을 빌려 읽을 수 있습니다. 전자책을 빌려보기 위해서는 도서관 홈페이지에서 회원 가입을 먼저 해야 하고, 반드시 로그인을 해야 합니다.

전자책도 종이 책처럼 대출 기간이 정해져 있습니다. 그런데 대출 기간이 지나면 저절로 반납 처리가 되기 때문에 따로 반납을 할 필요는 없습니다. 그리고 전자책은 도서관에 직접 가지 않고도 아무데서나 단말기로 빌릴 수 있어 정말 편리합니다.

핵심 요약에 체크해 보세요.

[□스마트폰 / □전자책]이 무엇인지, 편리한 점은 무엇인지를 [□설명하는 / □주장하는] 글입니다.

1 글의 제목

이 글의 제목을 정할 때, 빈칸에 알맞은 말은 무엇입니까?

┌─────────┐
│   │은 무엇일까요?
└─────────┘

① 컴퓨터　　　　② 태블릿　　　　③ 전자책　　　　④ 도서관

2 내용 파악

다음 중 전자책의 특징이 <u>아닌</u> 것은 무엇입니까?

① 대출 기간이 정해져 있어요.

② 반드시 도서관에 가서 반납해야 해요.

③ 도서관 홈페이지에서 회원 가입을 해야 해요.

④ 온라인 콘텐츠라고도 하며, 단말기를 통해 볼 수 있어요.

안녕하세요, 저는 3학년 ○반 김예진입니다. 지금부터 저희 가족을 소개하겠습니다.

우리 할머니는 나를 무척 사랑하시고, 나를 통통 공주라고 부릅니다. 우리 할아버지는 택시 운전을 하시는데, 할아버지 택시를 타고 바람을 쐬고 돌아오면 기분이 참 좋습니다.

우리 엄마랑 아빠는 회사원이라서 저녁 늦게 집에 들어오십니다. 내 동생 민석이는 말썽꾸러기지만 귀엽습니다. 우리 엄마는 나를 좋아하는 것보다는 민석이를 더 좋아합니다. 그래도 나는 괜찮습니다. 왜냐하면 아빠는 나를 더 좋아하니까요.

마지막으로 우리 삼촌은 이 세상에서 가장 못생긴 아이라며 나를 놀리곤 합니다. 내가 화가 나서 울면 할머니께서는 "통통 공주가 이 세상에서 가장 귀엽고 사랑스럽고 예쁘다는 뜻이여. 삼촌이 거꾸로 말한 게야."라고 말씀하시며 내 편을 들어줍니다.

나는 우리 식구가 다 좋습니다. 아, 참 여러분! 앞으로는 저를 '통통 공주'라고 불러 주세요. 이상으로 소개를 마치겠습니다. 감사합니다.

- 통통공주라고 불러 주세요 _ 송언

 핵심 요약에 체크해 보세요.   자신의 [□가족 / □반려 동물]을 친구들에게 [□소개하는 / □광고하는] 글입니다.

❸ 이 글은 어떤 글입니까?

글의 목적

> 자신의 가족을 친구들에게 [ ][ ] 하는 글입니다.

❹ 이 글을 읽고 알 수 있는 내용이 <u>아닌</u> 것은 무엇입니까?

내용 파악

① 할아버지는 택시 운전사입니다.

② 삼촌은 민석이를 못생겼다고 놀립니다.

③ 할머니는 예진이를 '통통 공주'라고 부르십니다.

④ 엄마는 나를 좋아하는 것 보다 동생을 더 좋아합니다.

❺ 이 글을 읽은 예진이 친구들의 반응으로 알맞지 <u>않은</u> 것은 무엇입니까?

내용 적용

① 민주 : 너희 식구가 엄청 많아서 깜짝 놀랐어.

② 승재 : 나도 너희 할아버지 택시 타고 바람을 쐬고 싶어.

③ 찬희 : 나도 너희 아버지가 해 주신 맛있는 요리를 먹고 싶어.

④ 주애 : 나도 너희 할머니처럼 내 편을 들어주는 사람이 있으면 좋겠어.

아들: 아빠, 밖에 나갔다 오니 눈하고 목이 너무 아파요.

아빠: 오늘 황사가 심하다고 하던데, 그 때문인가 보구나.

아들: 황사요?

아빠: 그래, 봄의 불청객이라 불리는 황사 말이야. 황사는 하늘에 떠다니는 누런 색깔의 먼지나 모래 알갱이를 말해.

아들: 황사는 어디에서 만들어지는 거예요?

아빠: 황사는 중국이나 몽골 등 아시아 대륙 중심부에서 발생해서 우리나라까지 온단다.

아들: 다른 나라에서 발생한 황사가 어떻게 우리나라까지 와요?

아빠: 중국 내륙과 몽골 지역은 사막과 초원이 펼쳐진 건조 지역이야. 이곳에서 봄이 되면 기온이 높아지면서 모래나 먼지가 하늘로 ㉠상승하게 되지. 이 모래나 먼지가 하늘 높은 곳에서 부는 바람을 타고 우리나라로 이동해 오는 거란다.

아들: 황사는 우리에게 어떤 피해를 주나요?

아빠: 황사에는 석영, 납 등 우리의 건강을 위협하는 물질이 많이 들어 있어. 이 물질들은 호흡기 질병, 눈병 등을 일으키지. 황사는 공장에도 지장을 줘. 황사가 발생하면 정밀 기계, 반도체 공장에서 불량률이 높아진단다. 또한 볼 수 있는 거리가 짧아져 비행기가 뜨고 내리는 데에도 지장을 줘.

아들: 그렇군요. 황사는 참 위험한 거네요. 그러면 황사를 없앨 수 있는 방법은 없나요?

아빠: 황사를 완전히 없앨 수는 없어. 어느 정도는 받아들여야 해. 하지만 최근 황사가 더 자주 더 강하게 발생하고 있다는 건 심각한 문제야.

아들: 왜 황사가 더 심해지는 거예요?

아빠: 바다에서 멀리 떨어진, 중국의 내륙 지역이 사막으로 변하는 사막화 때문이야. 초원은 줄고 사막이 늘면서 모래가 많아지고 있는 거지. 최근엔 사막화 현상을 줄이기 위해 우리나라 사람들까지 가서 나무를 심고 있어. 나무를 심는 사람들의 정성이 언젠가는 효과를 볼 수 있지 않을까?

－아빠, 황사가 뭐예요? _ 김진수

핵심 요약에 체크해 보세요.   [□장마 / □황사]가 무엇인지, 어떤 피해가 있는지 등에 대한 [□대화 / □독백]입니다.

6
중심 내용

이 글을 읽고 알 수 없는 내용은 무엇입니까?

① 황사는 어디에서 만들어지나요?

② 황사가 어떻게 우리나라에 오나요?

③ 황사가 오면 우리는 어떻게 해야 하나요?

④ 황사는 우리에게 어떤 피해를 주나요?

 7
내용 파악

황사로 인한 피해를 [보기]에서 모두 고른 것은 무엇입니까?

┤ 보기 ├

가. 비행기가 뜨고 내리는 데에 지장을 줘요.

나. 반도체 공장에서 불량률이 높아져요.

다. 정밀 기계의 불량률이 떨어져요.

라. 볼 수 있는 거리가 길어져요.

① 가, 나   ② 나, 다   ③ 다, 라   ④ 가, 다

 8
내용 파악

황사를 줄일 수 있는 방법으로 아빠가 말한 것은 무엇입니까?

① 나무를 많이 심어야 합니다.

② 군것질을 하지 않아야 합니다.

③ 음식을 남기지 않아야 합니다.

④ 자전거를 타는 습관을 가져야 합니다.

 9
어휘

㉠의 의미로 알맞은 것은 무엇입니까?

| 올라가게 | 내려가게 |

한눈에 보는
약점 유형 분석

틀린 문제에 ✔표를 하세요.

❶ 글의 제목	❷ 내용 파악	❸ 글의 목적	❹ 내용 파악	❺ 내용 적용	❻ 중심 내용	❼ 내용 파악	❽ 내용 파악	❾ 어휘

중요한 낱말을 다시 한번 확인하고 □에 써 보세요.

어휘력 (말씀 語, 무리 彙, 힘 力)	어휘를 마음대로 부리어 쓸 수 있는 능력. 예 작가는 풍부한 □□□을 갖추고 있어야 한다.
갈무리	물건 따위를 잘 정리하거나 간수함. 예 엄마는 텃밭에서 수확한 채소들을 □□□ 하시느라 바쁘셨다.
단말기 (끝 端, 끝 末, 기계 機)	중앙 컴퓨터와 연결되어 자료를 입력하거나 출력하는 장치. 예 죄송합니다만 지금 카드 □□□가 고장났어요.
기발하다 (기이할 奇, 특출날 拔)	재치가 있고 유달리 뛰어나다. 예 그의 생각은 새롭고 □□□□.
지형 (땅 地, 모양 形)	땅의 생긴 모양. 예 이 고장의 □□은 평평하고 경사가 없다.
지장 (지탱할 支, 막을 障)	어떤 일을 하거나 유지하는 데에 거치적거리며 방해가 되는 장애. 예 차량이 도로 한복판에 있어 통행에 □□을 주고 있다.
초원 (풀 草, 언덕 原)	풀이 나 있는 들판. 예 그는 푸른 □□이 펼쳐진 고향을 잊은 적이 없다.

[01~03] 다음의 뜻에 알맞은 단어를 [보기]에서 찾아 쓰시오.

┤ 보기 ├

어휘력　　　갈무리　　　단말기

01 물건 따위를 잘 정리하거나 간수함. ☐☐☐

02 중앙 컴퓨터와 연결되어 자료를 입력하거나 출력하는 장치. ☐☐☐

03 어휘를 마음대로 부리어 쓸 수 있는 능력. ☐☐☐

[04~06] 주어진 뜻을 읽고, 빈칸에 알맞은 낱말을 넣어 문장을 완성하시오.

04 그는 이곳에 오래 살아서 근처의 ☐☐을 잘 알고 있다.

＊뜻: 땅의 생긴 모양.

05 그의 발명품은 깜짝 놀랄 만큼 ☐☐☐☐☐.

＊뜻: 재치가 있고 유달리 뛰어나다.

06 산등성이를 돌아서자 넓은 ☐☐이 눈앞에 가득 펼쳐졌다.

＊뜻: 풀이 나 있는 들판.

07 주어진 문장을 읽고, ☐에 공통으로 들어갈 낱말을 쓰시오.

ㅈ ㅈ	학교 근처 공사장 소음 때문에 수업에 ☐☐을 받고 있다.

＊뜻: 어떤 일을 하거나 유지하는 데에 거치적거리며 방해가 되는 장애.

21~25 일차

동화 문제 ①~②

훈민이네 할머니가 검은 비닐봉지에 쌀을 담았습니다.

"쌀은 왜요?"

"곡식을 담아 두는 뒤주에 넣으려고."

할머니와 훈민이는 동사무소로 갔습니다. 동사무소 앞에는 커다란 나무 상자 하나가 있었습니다. 할머니가 말씀하신 뒤주였습니다. 할머니는 뒤주 뚜껑을 열고 쌀을 쏟아 부었습니다.

"왜 여기에 쌀이 있는 거예요?"

"어려운 사람들 가져다 먹으라고 있는 거야."

"공짜로요?"

"그래. 이곳에 쌀을 넣어 두면 없는 사람들이 조금씩 가져다 먹는단다."

"애들한테도 가르쳐 줘야겠어요. 편지봉투 정도면 될까요?"

"아이고, 우리 강아지가 기특한 생각을 했구나. 그럼, 되고말고. 양이 중요하겠니? 마음이 중요하지."

할머니는 대견한 듯 훈민이를 바라보았습니다.

- 도깨비 뒤주 _ 신혜순

훈민이가 할머니와 함께 [☐빵 / ☐쌀]을 비닐봉지에 담아 동사무소에 간 이야기를 통해 깨달음을 주는 [☐동화 / ☐광고문]입니다.

① **할머니가 비닐봉지에 쌀을 담아 동사무소에 간 이유는 무엇입니까?**

추론

① 훈민이에게 밥을 해 주기 위해서입니다.

② 어려운 사람들을 도와주기 위해서입니다.

③ 훈민이와 함께 나누어 먹기 위해서입니다.

④ 길거리의 동물들을 도와주기 위해서입니다.

② **동사무소 앞의 '뒤주'가 나타내는 의미는 무엇입니까?**

핵심어

① 나눔 　　② 공손 　　③ 효도 　　④ 존중

조선 시대인 1693년에 안용복은 울릉도 근처에서 고기잡이를 하다가 일본 어부들과 마주쳤어요. 안용복은 일본 어부들을 쫓아내려다가 오히려 납치를 당해서 일본으로 끌려갔어요. 일본에서 안용복은 울릉도와 독도가 조선 땅이라는 것을 확실히 하고, 자신을 납치해 온 것에 대해 항의했어요. 일본 관리는 안용복의 말이 옳다며 안용복을 돌려보냈지요.

그런데 일본 어부들은 계속해서 울릉도와 독도 부근에서 고기잡이를 하는 것이었어요. 안용복은 1696년 다시 일본으로 건너가 독도는 조선 땅이라는 것을 강력하게 주장했어요. 결국 일본 정부는 1696년에 "울릉도와 독도는 조선 땅이므로 일본 어민들은 그곳에 가지 마라."라는 명령을 내렸어요.

일제 강점기 이후 1953년에는 홍순칠 대장을 중심으로 한 울릉도 청년들이 자발적으로 독도 의용 수비대를 만들어 1956년까지 독도를 지켰어요. 지금은 독도 경비대가 독도를 지키고 있지요.

핵심 요약에 체크해 보세요.

[□독도 / □제주도]를 지키려고 노력한 용감한 사람들의 이야기를 [□장소 / □시간]의 순서대로 쓴 글입니다.

---

❸ 다음의 빈칸에 알맞은 말을 쓰시오.

내용 파악

〈독도를 지키려고 노력한 사람들〉

☐☐☐ → 홍순칠 대장을 비롯한 독도 의용 수비대 → 독도 경비대

---

❹ 이 글을 <u>잘못</u> 이해한 학생은 누구입니까?

내용 적용

① 은우: 지금은 독도 경비대가 지키고 있는 독도에 꼭 가보고 싶어요.

② 서진: 일본으로 직접 건너가 독도가 우리 땅임을 주장한 안용복의 용기가 대단해요.

③ 승헌: 울릉도 청년들이 스스로 나서서 우리의 독도를 지키려고 한 것은 정말 대단한 일이에요.

④ 승아: 일본 정부의 명령으로 일본 어부들이 독도 부근에서 고기잡이를 한 것은 잘못한 일이에요.

우리 조상은 꽃을 눈으로도 즐기고 ㉠입으로도 즐겼습니다. 삼짇날이 되면 진달래 꽃잎을 넣고 찹쌀가루를 둥글납작하게 부쳐서 만든 진달래 화전을 먹었습니다. 오늘날의 프라이팬이라고도 할 수 있는 번철을 돌 위에 올리고 그 아래 불을 피워 화전을 부쳤습니다. 번철 대신 솥뚜껑을 쓰기도 했습니다.

삼짇날에는 진달래 화채도 만들어 먹었습니다. 진달래 꽃잎에 녹말 가루를 묻혀 살짝 튀긴 뒤, 설탕이나 꿀을 넣어 달게 담근 오미자즙에 띄워 먹었습니다.

진달래와 비슷한 철쭉꽃은 먹을 수 없는 꽃이라서 '개꽃'이라고 했지만, 진달래는 먹을 수 있는 꽃이라서 '참꽃'이라고 했습니다. 진달래뿐만 아니라 벚꽃, 배꽃, 매화로도 화전을 만들어 먹었습니다.

그렇지만 모든 꽃을 다 먹을 수 있는 것은 아닙니다. 진달래, 국화, 장미, 금잔화, 삼색제비꽃처럼 먹을 수 있는 꽃을 골라 먹어야 합니다. 그리고 먹을 수 있는 꽃이라고 하더라도 꽃가루 등에 의한 알레르기를 일으킬 수 있으므로 암술, 수술, 꽃받침을 제거하고 먹어야 합니다. 특히 진달래는 수술에 약한 독성이 있으므로 반드시 꽃술을 제거하고 꽃잎만 깨끗한 물에 씻은 뒤에 먹어야 합니다.

우리 조상은 자연에서 나오는 순수한 색소로 찹쌀가루에 물을 들여 화전을 만들기도 했습니다. 쑥, 시금치, 신감채, 녹찻잎 등으로는 초록색 물을 들였고, 단호박, 치자 등으로는 노란색 물을 들였습니다. 오미자, 복분자로는 빨간색 물을, 보라색 고구마로는 보라색 물을, 당근으로는 주황색 물을 들였습니다. 검은깨나 검은콩으로는 검은색 물을 들였습니다.

자연에서 얻은 천연 색소는 음식을 돋보이게 할 뿐만 아니라 재료의 영양이 그대로 살아 있어 건강에도 무척 좋습니다. 이렇듯 화전에는 자연이 준 선물을 음식에 이용한 조상의 지혜가 담겨 있습니다.

– 먹을 수 있는 꽃 요리 _오주영

우리 조상들이 [□나물 / □꽃]을 보는 것뿐만 아니라 먹기도 했다는 내용을 중심으로 꽃 요리에 대해 자세하게 [□주장하는 / □설명하는] 글입니다.

5

글의 제목

이 글의 제목으로 알맞은 것은 무엇입니까?

① 진달래 화채를 만드는 방법

② 삼진날에 조상들이 먹은 음식

③ 자연에서 나오는 순수한 색소

④ 우리 조상들의 다양한 꽃 요리

6

중심 내용

㉠이 의미하는 것으로 알맞은 것은 무엇입니까?

① 요리를 해서 먹었습니다.

② 그림으로 그려서 보았습니다.

③ 고운 이름을 지어서 불렀습니다.

④ 꽃과 관련된 노래를 만들어 불렀습니다.

7

내용 파악

이 글을 잘못 이해한 사람은 누구입니까?

① 민주 : 국화, 장미도 먹을 수 있는 꽃이구나.

② 소정 : 먹을 수 있는 꽃이어도 암술, 수술, 꽃받침을 제거하고 먹어야 하는구나.

③ 지수 : 자연에서 나오는 색소를 활용하여 음식을 만들 수 있구나.

④ 유라 : 찹쌀가루에 검은 물을 들이고 싶을 때는 단호박을 이용하면 되는구나.

한눈에 보는
약점 유형 분석

틀린 문제에 ✔표를 하세요.

❶ 추론	❷ 핵심어	❸ 내용 파악	❹ 내용 적용	❺ 글의 제목	❻ 중심 내용	❼ 내용 파악

동화   문제 ❶～❷

"왜 벌써 왔어? 다 놀다 온 거야?" 엄마의 물음에 현수가 대답했다.

"다 논 것 같기도 하고 아닌 것 같기도 해요."

"무슨 말이 그래? 무슨 일 있었어?"

엄마가 현수를 돌아보며 대답을 기다렸다.

"그네를 신나게 타고 있는데 다섯 살쯤 되는 아이가 다가오더니 가만히 서 있는 거예요. 그네가 타고 싶은 것처럼요. 아이가 다칠까 봐 그네를 높이 띄울 수도 없고 해서 멈추고, 그네를 타고 싶은지 물었더니 고개를 끄덕거려요. 그래서 할 수 없이 일어났어요. 좀 더 놀고 싶었는데, 그네에서 일어나니 달리 할 것도 없고…… 그냥 집에 왔어요."

현수의 말이 끝나자 엄마는 냉장고를 열어 수박 한 조각을 꺼내 현수에게 주었다.

"그래서 좀 아쉬운 거구나?"

현수는 시원하게 수박을 한 입 베어 먹으며 미소 지었다.

"그래도 기분은 좋아요. 어른이 된 것 같기도 하고."

"맞아, 　⑦　를 하면 자신이 더 기분이 좋아. 마음이 커지는 거잖아."

－ 그네와 수박 _ 채인선

핵심 요약에 체크해 보세요.

놀이터에서 현수가 아이에게 그네를 [□양보 / □포기]한 이야기를 통해 우리에게 깨달음을 주는 [□동화 / □일기]입니다.

1

내용 파악

이 글을 다음과 같이 정리했습니다. 다음 중에서 잘못된 내용은 무엇입니까?

장소: 놀이터	①
인물: 현수, 다섯 살쯤 되는 아이	②
사건: 현수가 아이에게 그네 타는 법을 가르쳐 줌.	③
현수의 마음: 어른이 된 것 같이 기분이 좋음.	④

2

어휘

⑦에 들어갈 말로, '길이나 자리, 물건 따위를 사양하여 남에게 미루어 줌.'이라는 뜻의 낱말은 무엇입니까?

① 양보   ② 협동   ③ 사과   ④ 효도

나는 장영실과 같은 과학자가 되는 것이 꿈이다. 장영실은 비록 노비였지만, 자신이 맡은 일에 책임을 다하며 모든 일에 관심을 갖고 자세히 살폈다.

가뭄이 심할 때 현감도 장영실이 어린아이라고 무시하지 않고 그의 말에 귀를 기울였기 때문에 가뭄을 이길 수 있었다. 세종대왕께서도 신분이 낮은 노비인 장영실에게 많은 것을 연구할 수 있도록 해 주었다. 해시계를 비롯하여 자격루라고 하는 물시계, 빗물을 재어 농사일에 도움이 되는 측우기, 강물의 양을 재는 양수표, 금속 활자 등 장영실의 발명품은 자랑스러운 것이었다. 측우기는 서양보다 2세기나 앞서 발명했다고 한다.

관기의 아들로 태어나 사람들의 멸시를 받았으나, 끊임없는 노력으로 우리나라 과학을 발전시킨 위대한 과학자! 수학 공부를 하다가 조금만 어려워도 포기하고 마는 내 자신이 부끄러웠다. 나도 불평하지 않고 끈질기게 공부하고 연구하여 장영실과 같은 역사에 빛나는 과학자가 되고 싶다.

핵심 요약에
체크해 보세요.

[□세종대왕 / □장영실]의 삶과 업적을 다룬 글을 읽고 알게 된 점과 느낀 점을 기록한 [□독서 감상문 / □광고문]입니다.

❸ 장영실의 발명품이 <u>아닌</u> 것은 무엇입니까?

내용 파악

① 자격루   ② 측우기   ③ 양수표   ④ 냉장고

❹ 이 글의 제목을 정할 때, 빈칸에 알맞은 말을 쓰시오.

추론

☐☐의 천재, 장영실

❺ 이 글의 내용으로 알맞지 <u>않은</u> 것은 무엇입니까?

내용 파악

① 장영실은 해시계를 만들었어요.

② 세종대왕은 장영실에게 연구를 하게 했어요.

③ 현감은 장영실의 도움으로 가뭄을 이겨냈어요.

④ 사람들은 관기의 아들인 장영실을 잘 돌봐주었어요.

여우가 친구 두루미를 집으로 초대 했어요. 여우는 납작한 접시에 음식을 담아 내놓았답니다. 여우는 [　　㉠　　] 맛있게 먹는데, 두루미는 하나도 먹을 수가 없었어요.

다음 날, 두루미가 여우를 집으로 초대했어요. 두루미는 목이 기다란 그릇에 음식을 담아 내놓았답니다. 두루미는 맛있게 쪼아 먹는데 여우는 [　　㉡　　] 굶고 말았어요.

"너만 맛있게 먹고, 난 하나도 못 먹었잖아!"

그러자 기다렸다는 듯이 두루미가 말했어요.

"어제는 너 혼자 맛있게 먹었잖아!"

이 일 때문에 여우와 두루미는 사이가 아주 나빠졌답니다.

서준: 여우가 두루미를 초대해 놓고 골탕을 먹인 것은 잘못이야. 친구를 초대해 놓고 그러면 안 되잖아. 여우는 정말 나빠.

주희: 그렇다고 여우를 초대해 놓고 복수를 해? 두루미도 나빠.

서준: 여우가 먼저 골탕을 먹였으니까 더 나쁘지. 친구끼리 정말 왜 그랬을까?

주희: 그러면 어떻게 하면 좋을까?

서준: 여우가 두루미를 초대했을 때, 자기 음식은 납작한 접시 위에 담고, 두루미가 먹을 음식은 목이 기다란 그릇에 넣어 주면 되잖아. 그럼 서로 맛있게 먹을 수 있잖아.

주희: 야, 그건 말이 안 돼. 여우네 집엔 목이 기다란 그릇이 없어. 왜냐하면 여우에겐 필요 없는 물건이잖아. 안 그래?

서준: 그러네. ㉢여우와 두루미가 잘 지낼 수 있는 뭐 좋은 방법이 없을까?

– 「여우와 두루미」를 읽고 _송언

핵심 요약에
체크해 보세요.

[□여우와 포도 / □여우와 두루미] 이야기를 읽고 그 내용에 대해 친구들끼리 [□설득 / □토의]하고 있습니다.

6

내용 파악

'여우와 두루미'에 대한 설명으로 알맞은 것은 무엇입니까?

① 두루미가 여우를 먼저 집으로 초대했어요.

② 두루미는 여우가 먹을 음식을 납작한 접시에 내놓았어요.

③ 여우는 두루미가 먹을 음식을 목이 기다란 그릇에 내놓았어요.

④ 여우와 두루미는 서로의 집에 방문했다가 사이가 나빠졌어요.

7 어휘

㉠과 ㉡에 들어갈 말을 알맞게 짝지은 것은 무엇입니까?

	㉠	㉡
①	냠냠	쫄쫄
②	톡톡	줄줄
③	줄줄	톡톡
④	쫄쫄	냠냠

8 추론

여우와 두루미에게 가장 필요한 것은 무엇입니까?

① 배려하는 마음

② 용기 있는 마음

③ 다른 사람을 돕는 마음

④ 자신의 것을 나누는 마음

9 내용 파악

다음의 빈칸에 알맞은 말을 쓰시오.

서준이는 먼저 친구를 골탕 먹인 ☐☐ 를 나쁘다고 생각하고, 주희는 친구에게 복수를 한 ☐☐☐ 도 나쁘다고 생각하고 있어요.

10 추론

㉢으로 가장 적절한 것은 무엇입니까?

① 여우가 자신의 접시를 두루미에게 모두 주게 해요.

② 여우와 두루미에게 각각 새로운 친구를 소개해 줘요.

③ 여우가 가진 접시와 두루미가 가진 그릇 모두를 서로 바꾸게 해요.

④ 여우가 가진 접시 하나와 두루미가 가진 그릇 하나를 서로 바꾸게 해요.

한눈에 보는
약점 유형 분석

틀린 문제에 ✔표를 하세요.

❶ 내용 파악	❷ 어휘	❸ 내용 파악	❹ 추론	❺ 내용 파악	❻ 내용 파악	❼ 어휘	❽ 추론	❾ 내용 파악	❿ 추론

편지글   문제 ❶~❷

수영이에게

안녕, 수영아!

　처음 같은 반이 되어 온 한 해 동안 정말 즐거웠어. 수영아 혹시 기억나니? 네가 새 신발을 자랑하고 있을 때, 나도 모르게 샘이 나서 그만 "어울리지도 않는 그런 신발을 왜 신니?"라며 마음에도 없는 말을 하고 말았지. 그래서 우리 싸우게 되었잖아. 그때 나는 너무 후회했어.

　'왜 그랬을까'라는 생각이 계속 들고, 미안한 마음을 숨길 수 없어서 초조해할 때, 네가 다가와 웃으며 괜찮다고, 미안하다고 사과의 말을 먼저 건네주었지. ㉠그때 나는 너무 미안했고 널 보기가 정말 부끄러웠어. 그때만 생각하면 지금도 네게 미안한 생각이 들어.

　내가 준비물이 없을 때 빌려주겠다고 먼저 나서고, 내가 곤경에 처했을 때도 곁에서 말없이 도와주는 착한 내 친구, 수영아! 정말 고맙고 내년에 같은 반이 안 되더라도 우리의 우정 계속 간직하며 지내자! 안녕!

　　　　　　　　　　　　　　　　　　　　　２０○○년 ○월 ○일, 너의 친구 진희가

핵심 요약에 체크해 보세요.

친한 친구 [☐진희 / ☐수영]에게 고마운 마음을 전하는 [☐편지글 / ☐기행문]입니다.

1 이 글은 어떤 글입니까?

글의 종류

☐가 ☐에게 보내는 편지글입니다.

2 진희가 ㉠처럼 느낀 까닭으로 알맞은 것은 무엇입니까?

추론

① 수영이가 먼저 사과를 했기 때문입니다.

② 수영이가 먼저 고맙다고 했기 때문입니다.

③ 진희는 수영이에게 미안하지 않았기 때문입니다.

④ 진희는 수영이를 친한 친구라고 생각했기 때문입니다.

옛날 중국의 춘추 시대에 거문고를 기가 막히게 잘 연주하는 백아라는 사람이 살고 있었어요. 백아가 연주를 시작하면 친구인 종자기는 두 눈을 지그시 감은 채 연주를 들었지요. 아름다운 연주가 끝나면 종자기는 이렇게 말하곤 했어요.

"음악이 어두운 걸 보니, 자네 마음에 걱정이 있군그래."

백아는 연주만 듣고도 자신의 생각을 훤하게 꿰뚫어 보는 종자기가 너무나 좋았어요.

그러던 어느 날, 종자기가 갑작스레 죽고 말았어요. 그 소식을 들은 백아는 눈물을 흘리며 거문고를 부수었어요.

"내 음악을 알아주던 친구가 죽었으니, 이제 무슨 즐거움으로 거문고를 연주한단 말인가. 다시는 연주하지 않을 것이다."

그 뒤 ㉠백아는 죽을 때까지 거문고를 연주하지 않았어요. 사람들은 백아와 종자기의 우정을 가리켜 '소리를 듣고 마음을 아는 친구'라는 뜻으로 '지음'이라고 불렀답니다.

– 백아와 종자기의 우정 _ 우리누리

핵심 요약에 체크해 보세요.

옛날 [□일본 / □중국]의 백아와 종자기의 [□운명 / □우정]을 가리키는 말인 '지음'이 만들어진 계기를 설명하는 이야기입니다.

❸ 다음은 이 글의 중심 내용입니다. 빈칸에 알맞은 말을 쓰시오.
중심 내용

'　　'이란 '소리를 듣고 마음을 아는 친구'라는 뜻으로, 백아와 　　　의 우정을 가리키는 말입니다.

❹ 백아가 ㉠과 같은 행동을 한 까닭으로 알맞은 것은 무엇입니까?
내용 파악

① 거문고가 고장 났기 때문입니다.

② 거문고를 연주하는 것이 지루해졌기 때문입니다.

③ 자신의 음악을 알아주던 친구가 죽었기 때문입니다.

④ 거문고보다 다른 악기를 연주하고 싶었기 때문입니다.

조지프는 하루 종일 울타리를 고쳤습니다. 하지만 양들은 조지프가 잠시만 한눈을 팔아도 울타리를 넘어 도망갔습니다.

'어떻게 하면 양들이 울타리를 뛰어넘지 못하게 할까?'

조지프는 하루 종일 그 생각만 하였습니다. 그때 양 한 마리가 철사로 만든 울타리와 들장미 가시 넝쿨로 된 울타리를 번갈아 보았습니다.

"양들은 항상 철사로 만든 울타리만 뛰어넘어. 그리고 들장미 가시 넝쿨이 있는 숲 쪽으로는 한 마리도 도망치지 않았어. 그래, 맞아. 양들은 가시를 무서워하는 거야."

조지프는 당장 숲으로 달려갔습니다. 하지만 울타리에 두를 가시나무를 구하는 것은 생각보다 어려웠습니다.

'철사로 만든 울타리에 가시를 달면 어떨까?'

조지프는 여러 번의 실험 끝에 두 겹의 철사를 꼬아, 그 사이사이에 철사로 가시를 만들어 끼워 넣은 철조망을 만들었습니다.

과연 조지프의 생각처럼 뾰족하게 가시가 돋아 있는 철조망 쪽으로는 양들이 가지 않았습니다. 몇몇 양들이 그쪽으로 갔다가 철조망 가시에 찔린 후로는 근처에 얼씬도 하지 않았습니다.

철조망 덕분에 조지프는 양을 지키는 일에서 해방될 수 있었습니다. 그리고 철조망에 대한 소문은 금방 퍼졌습니다. 많은 목장 주인들이 조지프의 철조망을 사러 찾아왔습니다. 조지프는 목장 일을 그만두고 철조망 공장을 세웠습니다.

조지프가 만든 철조망 때문에 미국 서부의 목장 일은 크게 변하였습니다. 철조망이 공장에서 대량 생산되어, 아무리 넓은 들판이라도 안전한 울타리를 칠 수 있었습니다. 이 철조망은 목장뿐만 아니라 전쟁터에서도 이용되었습니다. 그리고 지금도 세계 곳곳에서 중요하게 사용되고 있습니다. 물론 조지프는 철조망을 발명하여 부자가 되었답니다.

핵심 요약에 체크해 보세요.

철조망을 [☐발명 / ☐발견]한 조지프의 이야기를 다룬 [☐광고문 / ☐전기문]입니다.

❺ **이 글의 제목을 정할 때, 빈칸에 알맞은 말을 쓰시오.**

글의 제목

| | | |을 발명한 조지프

6
내용 파악

이 글의 내용으로 알맞지 <u>않은</u> 것은 무엇입니까?

① 조지프는 철사로 만든 울타리에 가시를 달았어요.

② 조지프는 철조망 공장을 세워 많은 돈을 벌었어요.

③ 조지프는 울타리에 두를 가시나무를 쉽게 구했어요.

④ 조지프는 많은 목장의 주인들에게 철조망을 팔았어요.

 7
내용 파악

'철조망'에 대한 설명으로 알맞지 <u>않은</u> 것은 무엇입니까?

① 목장에서 이용돼요.

② 조지프가 발명했어요.

③ 공장에서 대량 생산돼요.

④ 오늘날에는 쓰이지 않아요.

 8
추론

조지프를 통해 알 수 있는 내용을 [보기]에서 모두 고른 것은 무엇입니까?

┤ 보기 ├

가. 어려운 사람들을 돕자.

나. 불편함을 참을 줄 알자.

다. 작은 일에도 관심을 갖고 관찰하자.

라. 불편함을 해결하기 위해서 노력하자.

① 가, 나　　　② 나, 다　　　③ 다, 라　　　④ 가, 다

한눈에 보는
약점 유형 분석

틀린 문제에 ✔표를 하세요.

❶ 글의 종류	❷ 추론	❸ 중심 내용	❹ 내용 파악	❺ 글의 제목	❻ 내용 파악	❼ 내용 파악	❽ 추론

안내문   문제 ❶~❷

> ㉠

첫째, 화재가 발생하면 곧바로 119에 전화를 걸어 최대한 간단하고 정확하게 상황을 설명해요. 이때 상황을 보이는 대로 설명해요. 정확한 상황을 알아야 119에서 필요한 인원과 장비를 불이 난 장소로 보낼 수 있어요.

둘째, 정확한 장소와 주소를 알려요. 도로교통표지판이나 이정표를 참고하고, '○○길'이라는 표지판을 참고하면 도움이 돼요. 주소를 정확하게 알면 소방차가 빨리 도착할 수 있어요.

셋째, 소방서에서 알았다고 할 때까지 전화를 끊지 않아요.

넷째, 소방차가 도착할 때까지 안전한 곳에서 기다리면서 119에서 걸려오는 전화는 바로 받아요. 이때 신고를 한 전화로는 다른 데에 전화해서는 안 돼요.

핵심 요약에 체크해 보세요.

[☐홍수 / ☐화재]가 발생했을 때 해야 하는 행동을 알려 주는 [☐동화 / ☐안내문]입니다.

1 글의 제목

이 글의 제목으로 ㉠에 들어갈 알맞은 말은 무엇입니까?

① 화재 발생시 대피 방법 안내

② 화재가 많이 발생하는 계절 안내

③ 화재 발생시 119 신고 요령 안내

④ 화재 발생시 소화기 사용 요령 안내

2 내용 파악

다음의 신고 방법 중 잘못된 것은 무엇입니까?

① 주소를 정확하게 알려주어야 소방차가 빨리 도착해요.

② 소방차가 도착할 때까지 안전한 곳에서 기다려야 해요.

③ 소방서에서 알았다고 할 때까지 전화를 끊으면 안 돼요.

④ 소방서와 통화가 끝난 후 그 전화로 경찰서에 또 신고해요.

옛날에 한 농사꾼이 사람 몸집만 한 큰 무 하나를 수확했다. 농사꾼은 이렇게 희귀한 큰 무를 사또에게 바쳐야겠다고 생각하고 사또에게 갔다.

"저는 수십 년 동안 무 농사를 지어 왔는데, 올해는 사람 몸집만 한 무가 나왔습니다. 그래서 이 무를 사또께 바치려고 가져왔습니다."

사또는 농사꾼의 마음씨에 감동하여 하인을 불러 물었다.

"요새 들어온 물건이 있느냐?"

"예, 송아지 한 마리가 있습니다."

사또는 농사꾼에게 그 송아지를 주었다. 그리하여 농사꾼은 무 하나를 바치고 송아지 한 마리를 얻게 되었다.

그런데 '이웃 사람' 하나가 이 소식을 들었다. 그 사람은 '송아지 한 마리를 바치면 논을 얻겠구나.'하는 생각으로 송아지 한 마리를 끌고 사또에게 갔다.

"사또, 좋은 송아지가 나와서 사또에게 바치려고 끌고 왔습니다."

사또는 기뻐하며 하인을 불렀다. "여봐라, 요사이 뭐 들어온 것 없느냐?"

"요전에 들어온 무밖에 없습니다." 그러자 사또가 말하였다.

"그 무를 이 사람에게 상으로 주어라."

[□배려심 / □욕심]이 없는 농사꾼과 욕심이 많은 이웃 사람의 이야기를 통해 우리에게 깨달음을 주는 [□전래 동화 / □위인전]입니다.

❸ 다음은 이 글을 요약한 내용입니다. 빈칸에 알맞은 말을 쓰시오.

내용 파악

	농사꾼	이웃 사람
사또에게 주고받은 것	[　　　] → 송아지	[　　　] → 큰 무

❹ '이웃 사람'의 행동을 통해 우리가 얻을 수 있는 교훈은 무엇입니까?

추론

① 동물도 우리와 같은 생명체예요.

② 지나치게 욕심을 부리면 안 돼요.

③ 나라를 지키기 위해 용감한 마음을 가져야 해요.

④ 작은 것도 다른 사람과 나누는 마음을 가져야 해요.

우리는 지구를 깨끗하게 하려고 노력해야 합니다. 왜냐하면 지구는 앞으로도 우리가 살아갈 터전이기 때문입니다. 그런데 우리가 한 번 쓰고 난 뒤에 무심코 버리는 일회용품은 지구를 병들게 합니다. 일회용품은 평소에 사람들이 자주 쓰는 비닐봉지, 일회용 컵, 일회용 나무젓가락 등을 말합니다. 그러므로 지구를 깨끗하게 하려면 일회용품을 덜 쓰는 것을 실천해야 합니다.

첫째, 비닐봉지를 적게 써야 합니다. 왜냐하면 전 세계에서 매년 사용하고 버리는 비닐봉지 양이 매우 많기 때문입니다. 이것을 처리하려면 돈이 많이 듭니다. 그냥 두면 없어지는 데 500년이 넘게 걸립니다. 그러므로 물건을 사거나 담을 때에는 여러 번 쓸 수 있는 가방이나 장바구니를 활용해야 합니다.

둘째, 일회용 컵을 적게 써야 합니다. 왜냐하면 일회용 컵은 쓰기는 간편하지만 낭비하기 쉽기 때문입니다. 이렇게 낭비하면 일회용 컵의 재료가 되는 나무나 플라스틱이 많이 필요하기 때문에 환경을 더 파괴할 수 있습니다. 　⊙　 일회용 컵 대신에 여러 번 쓸 수 있는 컵을 사용해야 합니다.

셋째, 일회용 나무젓가락을 적게 써야 합니다. 왜냐하면 나무젓가락을 만들려면 나무를 많이 베어야 하기 때문입니다. 일회용 나무젓가락은 나무로 만들기 때문에 환경에 피해를 주지 않을 것이라고 생각하기 쉽습니다. 그러나 일회용 나무젓가락을 만들 때 잘 썩지 않도록 약품 처리를 하기 때문에 그냥 두면 20년쯤 지나야만 자연으로 돌아간다고 합니다. 그러므로 여러 번 쓸 수 있는 젓가락을 사용해야 합니다.

우리는 일회용품을 덜 써서 깨끗한 지구를 만들어야 합니다. 지금까지 살펴본 것은 우리가 생활 속에서 실천할 수 있는 일입니다. 이 밖에도 우리가 할 수 있는 일을 찾아보면 여러 가지가 있습니다. 지구를 가꾸는 것은 우리 모두가 해야 할 일입니다. 우리가 함께 노력한다면 깨끗한 지구를 만들 수 있습니다.

핵심 요약에 체크해 보세요.

우리 삶의 터전인 지구를 깨끗하게 하기 위해서는 [□일회용품 / □개인용 컵]을 덜 써야 한다고 [□주장하는 / □설명하는] 글입니다.

⑤ 글의 주제

다음은 이 글의 중심 내용입니다. 빈칸에 알맞은 말을 쓰시오.

지구를 깨끗하게 하기 위해서는 □□□□을 덜 써야 합니다.

6
추론

이 글에 대한 설명으로 알맞지 <u>않은</u> 것은 무엇입니까?

① 글쓴이는 자신의 의견을 주장하고 있어요.

② 내용을 이해하기 쉽도록 자세하게 말하고 있어요.

③ 글쓴이 자신이 직접 실천한 일을 설명하고 있어요.

④ 의견을 뒷받침하기 위해 실천할 수 있는 일을 말하고 있어요.

 7
내용 파악

이 글을 통해 알 수 있는 내용이 <u>아닌</u> 것은 무엇입니까?

① 일회용품이란 무엇일까?

② 나무젓가락이 잘 썩지 않는 이유는 무엇일까?

③ 비닐봉지가 저절로 없어지려면 얼마나 걸릴까?

④ 우리나라 사람들은 비닐봉지를 얼마나 많이 쓸까?

8
접속어

㉠에 들어갈 알맞은 말은 무엇입니까?

① 그러므로   ② 그럼에도   ③ 그렇지만   ④ 왜냐하면

9
내용 적용

글쓴이의 주장을 가장 잘 실천한 사람은 누구입니까?

① 재범 : 아이스크림을 비닐봉지에 담아 왔어요.

② 예지 : 음료수를 마실 때 종이컵을 사용했어요.

③ 수현 : 짜장면을 먹을 때 나무젓가락을 사용했어요.

④ 혜원 : 마트에서 산 과일을 장바구니에 담아 왔어요.

한눈에 보는
약점 유형 분석

틀린 문제에 ✔표를 하세요.

❶ 글의 제목	❷ 내용 파악	❸ 내용 파악	❹ 추론	❺ 글의 주제	❻ 추론	❼ 내용 파악	❽ 접속어	❾ 내용 적용

안내문   문제 ❶~❷

국제 만화 박람회에 오신 것을 환영합니다.

국제 만화 박람회는 만화와 만화 영화의 역사를 알리고 한국과 일본, 미국의 만화 영화 및 다양한 캐릭터를 소개합니다. 개장 시간은 평일과 주말 모두 오전 11시, 폐장 시간은 평일과 주말 모두 오후 6시입니다. 많은 사람들이 한 장소에 모이기 때문에 안전사고가 일어날 수도 있으니 각별한 주의 부탁드립니다. 특히 어린이 여러분은 사람이 많은 곳에서 뛰어다니지 말고 떠들지 않도록 주의해 주세요.

국제 만화 박람회를 찾아 주신 모든 분들이 즐겁고 행복한 시간을 보내시기를 진심으로 바랍니다.

핵심 요약에 체크해 보세요.

국제 만화 [☐음악회 / ☐박람회]의 행사 내용과 개장·폐장 시간, 주의 사항 등을 알려 주는 [☐안내문 / ☐기행문]입니다.

1

중심 내용

이 글에서 알 수 <u>없는</u> 것은 무엇입니까?

① 국제 만화 박람회의 행사 내용

② 국제 만화 박람회의 열고 닫는 시간

③ 국제 만화 박람회가 열리는 곳의 위치

④ 국제 만화 박람회장에서 주의해야 할 점

2

내용 파악

다음은 안내문의 일부입니다. 빈칸에 알맞은 말을 쓰시오.

박람회장에서 어린이가 지켜야 할 주의 사항
하나. ☐☐이 많은 곳에서 뛰지 않기
둘. 떠들지 않기

지금으로부터 약 2억 3,000만 년 전 지구에는 공룡이 살았어요. 오늘날 알려진 공룡은 약 1,000종이지만, 공룡을 연구하는 학자들은 공룡의 종류가 이보다 훨씬 더 많았을 것이라고 생각하고 있어요.

공룡이 살았을 때의 지구는 지금보다 훨씬 더 따뜻해서 숲이 엄청 울창했어요. 키가 약 25m, 몸무게가 약 60톤에 달하는 대형 초식 공룡인 브라키오사우루스가 배불리 먹을 수 있을 정도였으니까요.

바다에는 물고기처럼 헤엄치며 생활하던 어룡이, 하늘에는 큰 덩치와 거대한 날개를 뽐내며 하늘을 날던 익룡이 살았어요. 다른 공룡을 잡아먹고 사는 육식 공룡도 많았어요. 날카로운 발톱과 이빨, 튼튼한 두 개의 뒷다리를 이용하여 다른 공룡을 사냥하던 티라노사우루스 렉스는 가장 잘 알려진 육식 공룡이에요.

학자들은 공룡이 멸종하게 된 원인을 여러 가지로 말하고 있어요. 가장 설득력이 있는 것은 지구와 거대한 운석이 충돌했다는 거예요. 거대한 운석과의 충돌로 지구에 큰 폭발이 일어나 지구 대기가 순식간에 화산재로 뒤덮였고, 그래서 공룡이 갑자기 멸종하게 되었다는 거죠.

핵심 요약에 체크해 보세요.

다양한 공룡의 종류와 이들이 [□지구 / □우주]에서 갑자기 사라지게 된 이유를 [□설명하는 / □주장하는] 글입니다.

❸

중심 내용

이 글에서 설명하지 <u>않은</u> 것은 무엇입니까?

① 공룡이 멸종하게 된 원인　　② 다양한 공룡들의 종류

③ 지구와 운석이 충돌한 이유　　④ 공룡이 살았을 때 지구의 기후

❹

내용 파악

티라노사우르스 렉스에 대한 설명으로 알맞은 것은 무엇입니까?

① 대형 초식 공룡입니다.

② 바다를 헤엄치던 어룡입니다.

③ 발톱과 이빨이 날카롭습니다.

④ 키는 25m, 몸무게는 60톤입니다.

때: 옛날

곳: 어느 왕궁

나오는 인물: 미다스 왕, 공주, 악마

　　미다스 왕은 나라에서 가장 큰 부자였지만 욕심이 너무 많았다.

미다스: ㉠아아, 금이 더 있었으면 좋겠다. 이 세상의 금이 온통 내 것이었으면 좋겠다.

악마: 이토록 금을 많이 가지고도 더 원하시오?

미다스: 그렇소. 나는 내가 만지는 것이 전부 다 금으로 변한다면 소원이 없겠소.

악마: 좋소. 그럼 이제부터 당신이 만지는 것은 전부 다 금이 되도록 해 주겠소.

　　(그때부터 왕이 만지는 것은 전부 다 금으로 변했다.)

미다스: ㉡나는 이제 부자가 되었다. 모든 게 다 금이다.

공주: 아빠, 저는 이 금으로 된 성이 싫어요.

미다스: 모든 게 금으로 변하니 얼마나 행복하니?

　　(왕은 다정스럽게 공주를 쓰다듬어 주었다. 그 순간 공주마저도 금덩이가 되어 버렸다.)

미다스: 으흐흐흑! 공주야. 내가 너를 이렇게 만들다니…….

　　(왕은 눈물을 흘렸고 눈물을 손으로 닦자 왕도 금으로 변해 버렸다.)

악마: 어떻소? 원하는 금을 실컷 얻으니 이제 행복하시오?

미다스: 이 세상에는 금보다 훨씬 귀중한 게 너무나도 많다는 것을 알았소이다. 제발 내 소원을 취소해 주시오.

　　왕이 후회의 눈물을 흘리자 모든 것이 옛날로 되돌아왔다. 공주도 왕도 옛날의 모습을 되찾았다.

－ 미다스의 손 _ 김선 외

 재물에 [□시기심 / □욕심]이 많은 미다스 왕의 이야기를 다룬 연극의 대본인 [□희곡 / □토론]입니다.

5
중심 내용

다음은 이 글을 요약한 내용입니다. 빈칸에 알맞은 말을 쓰시오.

만지는 것은 전부 금으로 변하게 하는 능력을 얻었지만, ☐보다 귀중한 것이 많음을 깨닫고 ☐☐의 눈물을 흘린 미다스 왕의 이야기입니다.

6

내용 파악

이 글의 내용으로 알맞지 않은 것은 무엇입니까?

① 공주는 금으로 된 성을 좋아했어요.

② 악마는 미다스 왕의 소원을 들어 주었어요.

③ 미다스 왕은 나라에서 가장 큰 부자였어요.

④ 미다스 왕이 만지는 것은 모두 금으로 변했어요.

7

내용 적용

㉠을 통해 알 수 있는 미다스 왕의 성격으로 알맞은 것은 무엇입니까?

① 욕심이 많다.　　　　　② 용기가 넘친다.

③ 끈기가 있다.　　　　　④ 배려심이 많다.

8

추론

이 글을 연극으로 공연할 때, ㉡에 대한 설명으로 알맞은 것은 무엇입니까?

① 기쁜 표정과 목소리로 말합니다.

② 짜증난 표정과 목소리로 말합니다.

③ 화가 난 표정과 목소리로 말합니다.

④ 슬퍼하는 표정과 목소리로 말합니다.

한눈에 보는
약점 유형 분석

틀린 문제에 ✔표를 하세요.

❶ 중심 내용	❷ 내용 파악	❸ 중심 내용	❹ 내용 파악	❺ 중심 내용	❻ 내용 파악	❼ 내용 적용	❽ 추론

25일차　127

중요한 낱말을 다시 한번 확인하고 □에 써 보세요.

천연 (하늘 天, 그러한 然)	사람의 힘을 가하지 아니한 상태. 예 이 성은 □□의 요새이다.
대견하다	보기에 흡족하고 자랑스럽다. 예 어려운 환경에서도 잘 자란 아들이 □□□□.
멸시 (업신여길 蔑, 볼 視)	업신여기거나 하찮게 여겨 깔봄. 예 양반들 중에는 백성들을 □□하는 사람들도 있었다.
곤경 (괴로울 困, 지경 境)	곤란한 경우나 처지. 예 다현이는 아빠의 도움으로 □□에서 벗어날 수 있었다.
골탕	한꺼번에 되게 당하는 손해나 곤란. 예 그는 개구쟁이 동생에게 늘 □□을 먹곤 한다.
희귀 (드물 稀, 귀할 貴)	드물어서 매우 귀함. 예 할아버지의 창고에는 □□한 골동품이 가득하였다.
각별 (각각 各, 다를 別)	어떤 일에 대한 느낌이나 자세 따위가 유달리 특별함. 예 어릴 적부터 두 사람은 무척 □□한 사이이다.
얼씬	조금 큰 것이 눈앞에 잠깐 나타났다 없어지는 모양. 예 당분간 밭에는 □□도 못 하게 해.

어휘력 쑥쑥 테스트

[01~04] 다음의 뜻에 알맞은 단어를 [보기]에서 찾아 쓰시오.

┌ 보기 ┐

곤경　　　멸시　　　천연　　　골탕

01 업신여기거나 하찮게 여겨 깔봄.

02 사람의 힘을 가하지 아니한 상태.

03 곤란한 경우나 처지.

04 한꺼번에 되게 당하는 손해나 곤란.

[05~07] 주어진 뜻을 읽고, 빈칸에 알맞은 낱말을 넣어 문장을 완성하시오.

05 아무 도움을 받지 않고 스스로 앞길을 개척한 네가 　　　　.

＊뜻: 보기에 흡족하고 자랑스럽다.

06 엄마는 처음으로 장만한 그 집이 　　했다.

＊뜻: 어떤 일에 대한 느낌이나 자세 따위가 유달리 특별함.

07 수종이는 당분간 오락실에는 　　도 못한다.

＊뜻: 조금 큰 것이 눈앞에 잠깐 나타났다 없어지는 모양.

08 주어진 문장을 읽고, □에 공통으로 들어갈 낱말을 쓰시오.

ㅎ	ㄱ	① 　　 동물, 　　 식물.
		② 그 보석은 매우 　　한 것이다.

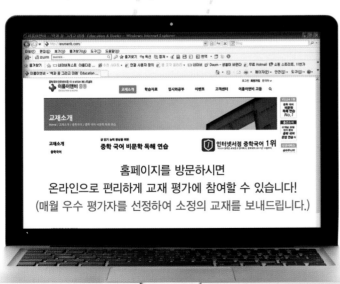

글 읽기 능력이 향상되면
모든 공부의 **차신감**도 **향상**됩니다.

다양한 글들을
쉽고 재미있게
공부하다 보면
독해왕이 됩니다!!!

숨마어린이
초등국어 **독해왕** 시리즈
1단계/2단계/3단계/4단계/5단계/6단계 (전 6권)

글 읽기 능력 향상을 위한

초등국어 독해왕

글 읽기가 재미있다는 것을 자연스럽게 알게 됩니다.

문학(동화, 동시, 기행문, 전기문 등),
비문학(설명문, 논설문, 실용문, 소개문, 안내문, 편지 등)을
초등학생의 수준에 따라 엄선하여 수록!

3 단계

정답 및 해설

상세한 지문 분석 및 문제 해설

▶ 학생에게는 **자기 주도 학습을 위한 가이드**가
▶ 선생님들에게는 수업을 위한 **지도 자료로 활용**될 수 있습니다.

글 읽기 능력 향상을 위한

초등국어
독해왕

3
단계

정답 및 해설

이룸이앤비
Education&Books

광고문   문제 ❶～❸

백 원이 모여 천 원이 되는 것처럼

책 한 권이 모이면 열 권이 되고,

어느새 책 속의 지혜가 머릿속에 쌓입니다.

책을 읽는 효과: 지혜가 많아짐.

독서 통장[*] 안에 가득한 내가 읽은 책의 흔적들.

이자[*]가 ㉠붙어 생각은 더욱 ㉡부자가 됩니다.

책을 읽는 효과: 생각이 풍부한 사람이 됨.

* **독서 통장:** 독서 기록장을 이르는 말로, 책을 읽고 나서 제목, 지은이, 날짜, 내용 등을 간략하게 적어 놓은 장부.
* **이자:** 돈을 빌린 사람이나, 예금 등 돈을 맡은 금융 기관 등이 그 대가로 지급하는 돈.

 핵심 요약에 체크해 보세요.

[☑책 / □인터넷]을 많이 보면 생각이 커지고 지혜로운 사람이 된다는 것을 알려 주는 [□감상문 / ☑광고문]입니다.

1. ①

이 글은 책을 많이 읽자는 내용의 광고문이에요.

2. ④

'붙어'는 '어떤 것이 더해지거나 생겨나다.'라는 의미예요.

3. ④

이 글에서 부자는 책을 많이 읽어서 생각이 풍부한 사람을 가리켜요.

전기문   문제 ❹～❻

세종대왕은 백성들이 글을 몰라 억울한[*] 일을 당하는 것이 늘 안타까웠어요. 또한 백성들이 자신의 생각을 잘 전달하고, 사람이 지켜야 할 도리를 알기 위해서는 그들이 글을 알아야 한다고 생각했어요. 세종대왕이 한글을 만든 이유.

    ㉠   1443년에 집현전[*]의 젊은 학자들과 함께 훈민정음[*]을 만들었어요. 여러 관리와 양반들은 한자가 아닌 한글을 쓰는 것이 옳지 않다고 주장했어요. 세종대왕과 집현전 학자들이 훈민정음을 만듦. 그들은 자신들만 글을 읽고 쓸 줄 알아야 한다고 생각했거든요. 처음에는 상민[*]이나 사대부 여인들만 한글을 조금씩 사용했지만, 한글이 배우기 쉽고, 읽고 쓰기에도 편리하여 점차 널리 쓰이게 되었어요. 한글 사용이 늘어남.

* **억울한:** 아무 잘못 없이 꾸중을 듣거나 벌을 받거나 하여 분하고 답답한.
* **집현전:** 조선 전기 학문 연구를 위해 궁중에 설치한 기관.
* **훈민정음:** '백성을 가르치는 바른 소리'라는 뜻을 가진 현재 우리가 쓰는 '한글'의 옛 이름.
* **상민:** 농부, 어부 등 조선 시대의 평범한 백성을 이르던 말.

 핵심 요약에 체크해 보세요.

[□양반 / ☑세종대왕]이 백성들을 위해 배우기 쉽고 읽고 쓰기에도 편리한 [☑한글 / □한문]을 만든 과정을 다룬 전기문입니다.

4. 세종대왕, 백성

세종대왕은 백성들이 글을 몰라 억울한 일을 당하는 것이 안타까웠고, 백성들이 자신의 생각을 잘 전달하고 사람의 도리를 다하려면 글을 알아야 한다면서 한글을 만드셨어요.

5. ②

'그래서'는 앞의 내용이 뒤의 내용의 원인이나 근거가 될 때 쓰이는 말입니다. 세종대왕이 한글을 만든 원인이 앞 글에 나타나 있어요.

6. ④

한글은 배우기 쉽고, 쓰기에도 편리해서 널리 쓰이게 되었어요.

설명하는 글   문제 ❼~❾

줄넘기를 할 때에는 꼭 운동화를 신어야 해요. 점프를 했다가 발이 땅에 닿을 때, 무릎은 체중의 5배에 달하는 충격을 받아요. 그렇기 때문에 맨발로 줄넘기를 하면 무릎 관절*에 이상이 생길 수도 있어요. 딱딱한 아스팔트에서는 충격이 더 심하지요.

또 줄넘기를 할 때에는 한 번에 20~30회를 뛴 다음 1~2분 동안 휴식을 해야 해요. 이것을 반복해서 총 30분에서 40분 정도 운동해요. 줄넘기를 하면 성장판에 자극을 주기 때문에 키가 크는 데 도움이 되지만, 너무 오래하면 오히려 성장판*을 다칠 수도 있으니 조심해야 해요.

점프를 할 때에는 몸에 힘을 빼고 양발을 모아 수직으로 가볍게 뛰어야 해요. 점프를 할 때 발을 앞으로 뻗거나 뒤로 너무 많이 굽히면 발바닥 전체가 땅에 닿아 무릎 관절이 아플 수 있어요. 그러므로 바른 자세로 점프하며 줄넘기를 하는 것이 좋아요.

* **관절**: 뼈와 뼈가 서로 맞닿아 움직일 수 있도록 연결된 부분. 뼈마디.
* **성장판**: 뼈와 뼈 사이에 있는, 성장을 일으키는 판.

7. 줄넘기
줄넘기를 안전하게 하는 방법을 설명한 글이에요.

8. ④
줄넘기의 종류, 줄의 길이, 오래 하는 방법은 이 글에 나타나지 않았어요.

9. ③
딱딱한 아스팔트에서 줄넘기를 하면 충격이 더 심하다고 했어요.

핵심 요약에 체크해 보세요.
우리가 일상생활 속에서 자주 하는 운동인 줄넘기를 [☑안전하게 / □편하게]하는 방법을 [☑설명하는 / □주장하는] 글입니다.

알아두면 도움이 돼요!

"집현전"

조선 제4대 임금인 세종은 좋은 정치를 펼치려면 무엇보다 뛰어난 인재를 기르고 학문을 발전시켜야 한다고 생각했습니다. 이에 고려 시대부터 내려온 도서관 집현전을 학문 연구 기관으로 만들고 학자 20여 명을 뽑아 일하게 했습니다. 집현전에서는 전문 지식을 가진 학자들이 왕이 바른 정치를 펼 수 있도록 도왔으며 외교 문서를 작성하거나 과거 시험의 시험관이 되기도 했습니다. 세종은 집현전 학자들을 위해 많은 책을 내려 주었고, 관청의 일에서 벗어나 공부에만 전념할 수 있도록 배려했습니다. 그 결과, 집현전은 학문 연구를 바탕으로 훈민정음 창제를 도왔으며 많은 책을 펴내기도 하였습니다.

설명하는 글   문제 ❶~❸

　곤충의 몸통은 머리, 가슴, 배, 세 부분으로 나뉘어요. 다리 세 쌍과 더듬이가 있지요. 봄에 볼 수 있는 나비와 벌 그리고 개미, 파리, 무당벌레, 잠자리는 곤충이에요. 곤충의 특징.

　그런데 거미도 곤충일까요? 거미는 곤충과 ㉠닮았지만 곤충이 아니라 동물이에요. 왜냐하면 거미의 몸통은 머리와 가슴이 나뉘어 있지 않기 때문이에요. 또 다리가 네 쌍이지요. 거미가 곤충이 아닌 이유.

핵심 요약에 체크해 보세요.
곤충의 [□수명 / ✔특징]을 통해 거미가 곤충이 아니라 동물이라는 점을 [□주장하는 / ✔설명하는] 글입니다.

1. ④
거미는 곤충과 달리 몸통이 머리와 가슴으로 나뉘지 않고, 다리도 네 쌍이에요.

2. ④
잠자리는 몸통을 머리, 가슴, 배로 나눌 수 있으므로 곤충이에요.

3. ③
'닮다'는 '사람 또는 사물이 서로 비슷한 생김새나 성질을 지니다.'라는 의미예요.

관찰 일기   문제 ❹~❻

5월 10일 월요일, 날씨 맑음

제목: 강낭콩 키우기, 제15일

　따스한 햇빛을 받지 못한 ㉠어두운 그늘에서 자란 강낭콩은 키다리 아저씨처럼 삐쭉 키만 자라 있었다. 줄기의 두께가 얇고, 잎도 힘이 없어 보이는 연한 초록색을 띠고 있었다. 햇빛을 받지 못한 강낭콩의 모습.

　　ⓐ ㉡햇빛을 받고 자란 강낭콩은 작지만 당찬 모습이었다. 굵고 힘이 있어 보이는 줄기는 푸르고 싱싱한 잎들을 거뜬하게 붙잡고 있었다. 햇빛을 받은 강낭콩의 모습.

핵심 요약에 체크해 보세요.
강낭콩을 [□먹은 / ✔키운] 경험을 바탕으로 생각과 느낀 점을 솔직하게 적은 [✔관찰 일기 / □기사문]입니다.

4. ①
㉠은 그늘에서 자란 강낭콩이에요. 햇빛을 받고 자란 ㉡과 달리 키만 삐쭉 자라 있었다고 했어요.

5. ④
그늘에서 자란 강낭콩과 햇빛을 받고 자란 강낭콩의 다른 점을 비교하고 있어요. 다른 내용을 이어주는 접속사는 '하지만'이 알맞아요.

6. ②
이 글은 사실을 기록하는 관찰 일기이므로 글쓴이가 상상해서 쓰면 안 돼요.

독서 감상문　　문제 ❼~❿

　나는 어제 선생님께서 추천*해 주신『도미 부인』이라는 책을 읽었다.『도미 부인』은 도미 부인과 도미가 포악한* 개루왕의 횡포*에 굴하지 않고 부부의 사랑을 지키는 내용이었다.

　백제의 개루왕은 ㉠의리가 있는 도미 부부의 얘기를 듣고 도미 부부의 의리를 시험하려고 하였다. 그래서 자신의 신하를 왕처럼 꾸며 도미의 집으로 보냈고, 도미 부인에게 왕이 왔음을 알린 후 궁녀로서 함께 밤을 지낼 것을 제의하였다. 도미 부인은 명령을 따르겠으니 먼저 방안으로 들어가라고 한 후 여자 종을 예쁘게 꾸며 들여보냈다. 개루왕은 이 사실을 알고 화가 나서 도미의 두 눈알을 뽑고 그를 배에 태워 강물에 띄워 보냈다. 그리고 다시 도미 부인을 궁궐로 데려와 협박하자, 도미 부인은 말을 따르겠다고 하면서 몰래 궁궐을 빠져나왔다. 도미 부인은 강가에서 갑자기 나타난 배를 타고 천성도에 가서 도미를 만났고, 다시 배를 타고 고구려 땅으로 가서 행복하게 살았다.

　이 책의 주인공인 도미 부인은 힘이 없는 백성이지만 나쁜 왕에 대항하여* 남편과의 사랑을 지키려고 노력했다. 이러한 도미 부인의 모습을 보고 나는 우리 조상들이 절개*나 믿음을 중요하게 생각했다는 사실을 알 수 있었다. 또 어떠한 어려움이 있어도 자신의 사랑을 끝까지 지키려는 도미 부인의 모습을 보니 조금이라도 힘이 들면 무슨 일이든 빨리 포기하고 마는 ㉡나의 모습이 부끄러워졌다.

　앞으로 나는『도미 부인』외에도 조상들의 이야기를 다룬 다른 책들을 읽기로 다짐했다. 책 속 조상들의 모습을 통해 내가 배울 점은 무엇인지를 생각해 보아야겠다.

* 추천: 어떤 대상을 소개함.
* 횡포: 제멋대로 굴며 성질이나 행동이 몹시 난폭함.
* 절개: 생각이나 믿음을 바꾸지 않는 태도.
* 포악한: 사납고 악한.
* 대항하다: 굽히지 않고 버티다.

7. 개루왕, 사랑
『도미 부인』은 도미 부인과 도미가 개루왕의 횡포에 굴하지 않고 부부의 사랑을 지키는 내용이라고 하였어요.

8. ②
'나'는 어제 선생님께서 추천해 주신『도미 부인』이라는 책을 읽었다고 하였어요.

9. ④
'의리'는 '사람과의 관계에서 지켜야 할 바른 도리'를 의미하는 낱말이에요. ①은 의미, ②는 불의. ③은 인내.

10. ④
도미 부인은 사랑을 지키기 위해 끝까지 노력하였는데, '나'는 조금이라도 힘들면 무슨 일이든 금방 포기하여 부끄러워졌다고 하였어요.

핵심 요약에 체크해 보세요.

　[✓도미 부인 / ☐개루왕] 이야기를 읽고 줄거리와 자신의 생각과 느낌을 정리한 [☐안내문 / ✓독서 감상문]입니다.

"설명하는 글(설명문)"

알아두면 도움이 돼요!

　어떤 지식이나 정보를 읽는 이에게 전달하고 이해시키기 위해 쉽게 풀어서 쓴 글을 설명하는 글, 혹은 설명문이라고 해요. 설명하는 글은 전달하고자 하는 사실이 정확해야 하고, 읽는 사람이 쉽게 이해할 수 있어야 해요.

편지글   문제 ❶~❷

그리운 친구, 수지에게

수지야 안녕? 내가 이곳으로 전학을 온 지 한 달이 지났어. 처음으로 낯선 학교에 와서 새 친구들을 사귀었지만, 너의 다정했던 모습이 생각이 나서 우울했어. 너와 함께 밥을 먹었던 급식실, 같이 줄넘기 연습을 했던 운동장, 사이좋게 책을 보던 도서관…… 모든 것이 그리움 투성이야.

내가 전학을 오게 되자, 네가 말했지. 우리 계속 연락하며 지내고 서로를 잊지 말자고 말이야. 그리고 열심히 공부해서 서로 멋진 사람이 되어 있기로도 약속했잖아. 그래서 나는 오늘도 너를 생각하며 ㉠새로운 곳에서 씩씩하게 웃으며 열심히 생활하고 있어.

다음에 만날 땐 더 멋있어진 내 모습을 기대해 줘.

– ○월 ○일, 서희 씀.

핵심 요약에 체크해 보세요.

[□부모님 / ☑친구]에게 그리운 마음을 전달한 [☑편지글 / □광고문]입니다.

1. 전학

서희는 자신이 다른 학교로 전학을 왔기 때문에 자주 만날 수 없는 수지에게 그리운 마음을 담아 편지를 썼어요.

2. ④

서희는 전학을 오기 전 수지와 열심히 공부해서 멋진 사람이 되기로 약속했다고 하였어요. 그렇기 때문에 서희는 새로운 학교에 와서도 열심히 생활하고 있어요.

설명하는 글   문제 ❸~❺

다람쥐처럼 쥐 무리에 속하는 동물들은 이빨이 계속해서 자라요. 그렇기 때문에 이빨을 닳게* 하려고 쉬지 않고 나무를 쏠거나* 딱딱한 열매를 갈아* 먹는 것이죠. 다람쥐가 나무를 쏠거나 딱딱한 열매를 갈아 먹는 이유.

그래서 다람쥐가 좋아하는 먹이는 도토리, 밤, 땅콩, 호두, 잣과 같이 대부분 껍질이 딱딱한 열매예요. ㉠ 가끔은 채소의 싹을 잘라 먹기도 하고 곤충을 잡아 먹기도 해요. 다람쥐의 먹이.

가을이 되면 다람쥐는 겨울잠을 자려고 먹이를 많이 먹어 두어요. 남은 먹이는 땅속에 먹이 창고를 만들어 감춰 두지요. 그리고 배고플 때마다 겨울잠에서 깨어나 먹이를 먹으며 겨울을 나지요. 겨울을 나기 위한 다람쥐의 먹이 활동.

* 닳다: 오래 써서 낡아지거나 줄어들다.   * 쏠다: 잘게 물어뜯다.   * 갈다: 박박 문지르다.

핵심 요약에 체크해 보세요.

[□곤충 / ☑다람쥐]의 먹이나 습성 등을 자세하게 [□주장하는 / ☑설명하는] 글입니다.

3. 이빨

다람쥐처럼 쥐 무리에 속하는 동물들은 이빨이 계속 자라기 때문에 이빨을 닳게 하기 위해서 나무를 쏠거나 딱딱한 열매를 갈아 먹는다고 하였어요.

4. ②

㉠의 앞에서는 다람쥐가 좋아하는 먹이인 딱딱한 열매에 대해 이야기하였어요. ㉠의 뒤에서는 다람쥐가 딱딱한 열매가 아닌 부드러운 채소의 싹이나 곤충을 먹는다고 말했어요. 따라서 두 문장의 상황은 반대의 상황이므로 '그러나'가 이어주어야 해요.

5. ①

다람쥐는 딱딱한 열매나 채소의 싹뿐만 아니라, 곤충도 먹는다고 했어요.

일기　문제 ❻~❾

○월 ○○일 ○요일, 날씨 비

오늘 마지막 수업 시간에 우연히 창밖을 보니 비가 내리고 있었다.

'맞다, 엄마께서 우산을 꼭 챙기라고 말씀하셨는데……'

늦잠을 자서 아침밥도 못 먹고 정신없이 나오느라, 엄마께서 우산을 챙기라고 하신 말씀을 깜빡했다. 그런데 수업 시간에 정말 비가 왔다. 왜 하필 이런 날에는 비가 내리는지 모르겠다. _{우산을 두고 왔는데 비가 와서 난감해 함.}

수업이 끝나서 집에 가기 위해 실내화 주머니를 머리에 ㉠얹고 운동장을 달리는데, 교문 앞에서 예쁜 내 우산을 들고 엄마께서 기다리고 계셨다. _{엄마께서 나를 마중 나오심.} 빗속에서 나를 기다리던 엄마의 모습은 꼭 천사 같았다. 오늘 엄마께서 나의 수호천사*가 되어 주신 것처럼 나도 다음에는 엄마의 수호천사가 되어 드려야겠다고 생각했다. _{엄마의 수호천사가 되어드리겠다고 다짐함.}

엄마, ㉡

* 수호천사: 모든 사람을 착한 길로 이끌어 보호하는 천사.

 핵심 요약에 체크해 보세요. 비가 오는 날 엄마께서 [☑우산 / □준비물]을 가지고 학교 앞에서 나를 기다려 주셨던 것에 대한 고마운 마음을 표현한 [□기행문 / ☑일기]입니다.

6. 수호천사
나는 엄마께서 나의 '수호천사'가 되어주신 것처럼 나도 다음에는 엄마의 수호천사가 되어 드려야겠다고 했어요.

7. ③
'얹다'는 '위에 올려놓다.'라는 의미예요. 나는 비를 피하기 위해 실내화 주머니를 머리 위에 올려놓았어요.

8. ④
나는 빗속에서 나를 기다리고 계셨던 엄마의 모습이 천사 같았다고 했어요.

9. ③
'나'는 비가 오는데 엄마께서 우산을 들고 마중을 나와주신 것에 대해 감사하는 마음을 갖고 있어요.

"일기"

 알아두면 도움이 돼요!

일기는 날마다 그날그날 겪은 일이나 생각, 느낌 따위를 적은 글이에요. 일기는 자신의 하루를 점검하고 기록한 글이므로, 일기를 써 두면 지난 일을 기억하기 쉽고, 자신의 행동을 되돌아 볼 수 있습니다.

하루 일과 중 즐겁고 기뻤던 일, 슬펐던 일, 서운했던 일, 인상 깊었던 일과 생각들이 모두 일기의 소재가 될 수 있어요.

일기는 다른 사람에게 보여 주기 위한 글이 아니므로, 형식에 얽매이기보다는 솔직하게 쓰는 것이 중요하답니다.

광고문   문제 ❶〜❸

구슬이 우르르 쏟아지듯 우리를 구슬로 빗대어 표현함.

교실에서 우리들이 뛰쳐나옵니다.

구슬이 여기저기 갈 곳을 잃고 부딪치듯

나의 어깨를 타인*에게 부딪치면 아픔을 줄 수 있습니다.

복도에 나가기 전에 잠시 심호흡*을 해 보아요.

나의 배려가 상대에게는 웃음이 됩니다. 서로를 배려하자는 중심 문장.

* **타인**: 다른 사람.   * **심호흡**: 공기를 깊숙이 들이마셨다 내쉬었다 하며 크게 숨을 쉬는 일.
* **배려**: 도와주거나 보살펴 주려고 마음을 씀.

 핵심 요약에 체크해 보세요.   [□교실 / ✔복도]에서 다른 사람을 배려하자는 내용의 [□감상문 / ✔광고문]입니다.

---

1. ②

복도에서 친구들이 서로 질서를 지키지 않고 부딪치면 피해를 줄 수 있기 때문에 질서를 지키고 서로를 배려하자는 내용의 광고문이에요.

2. ①

우리들이 교실에서 뛰어나오는 모습을 구슬이 쏟아지는 모습으로, 우리들이 서로 부딪치는 모습을 구슬이 갈 곳을 잃고 부딪치는 모습으로 빗대어 표현하였어요.

3. 우르르

'사람이나 동물이 한꺼번에 움직이거나 한 곳에 몰리는 모양.'을 나타내는 말은 '우르르'이지요.

주장하는 글   문제 ❹〜❺

    예쁜 꽃은 우리의 마음을 즐겁게 합니다. 그래서 우리는 학교에서나 집에서 꽃을 심고 가꾸기도 합니다.

    지난 금요일에 우리 학년은 산으로 봄 소풍을 다녀왔습니다. 맑은 시냇물이 흐르고, 이름 모를 새들이 반갑게 맞아 주는 것 같아 기분이 무척 좋았습니다. 봄 소풍에서 느낀 감정. 그런데 점심을 먹고 자연 관찰 시간이 되자, 친구들이 여기저기 아름답게 핀 진달래를 마구 꺾기 시작했습니다. 어떤 친구는 집에 가져간다며 욕심을 내어서 꺾었습니다. 아름답게 핀 진달래꽃은 순식간에 다 꺾였습니다. 진달래꽃을 꺾는 친구들의 모습을 봄.

    집에 오는 길에 친구들은 꺾은 진달래꽃이 시들었다며 길가에 마구 버렸습니다. 함부로 버려진 진달래꽃이 아프다고 ㉠우리에게 막 원망을 하는 것 같았습니다. 자연도 살아있는 생명입니다. 그러므로 산이나 들에 있는 꽃이라도 함부로 꺾으면 안 됩니다. 꽃을 꺾지 말자고 주장함.

 핵심 요약에 체크해 보세요.   봄 소풍에서의 체험을 통해 생명체인 [✔꽃 / □돌]을 비롯한 자연을 소중히 여기자고 [✔주장하는 / □설명하는] 글입니다.

---

4. 주장

소풍의 경험을 바탕으로 꽃도 생명이니 꺾지 말자고 주장하고 있어요.

5. ④

글쓴이는 친구들이 진달래꽃을 마구 꺾고 버린 것을 좋지 않게 생각했어요. 그래서 진달래꽃이 아프다고 원망을 하는 것 같다고 느낀 것이지요.

기행문   문제 ❻～❾

1 엄마, 아빠와 함께 경기도 이천에 있는 도자기 마을에 도자기 체험을 하러 갔다. 나는 먼저 우리나라 도자기의 특징과 역사에 대한 설명을 들었다. 그동안 도자기에 대해서 잘 몰랐는데, 설명을 듣고 나서 우리나라 도자기가 얼마나 우수한지를 알게 되어 신기했다. 도자기에 대한 알게 된 점과 신기함을 느낌.

2 그 다음 선생님께서 물레*라는 것으로 시범*을 보이셨고, 나는 흙으로 도자기를 만들어 보는 체험을 하였다. 나는 엄마랑 물컵을 만들기로 하였다. 그런데 생각한 대로 모양이 잘 되지 않았다. 선생님께서 하는 것을 볼 때는 쉬워 보였는데…… 그래서 조금 속상했다. 도자기 체험을 한 것과 속상함을 느낌.

3 엄마가 물컵의 찌그러진 부분에 흙으로 만든 꽃을 붙여 주셨다. 그러니까 모양이 나아져서 속상했던 마음이 사라지고 ㉠감사한 마음이 들었다. 내 머그잔에 꽃을 붙여준 엄마에게 감사함을 느낌.

* **물레**: 도자기의 모양을 만드는 데 쓰이는 동그랗게 생긴 도구.   * **시범**: 모범을 보임.

 핵심 요약에 체크해 보세요. 도자기 마을에 가서 보고, 듣고, 느끼고, [□추리한 / ☑체험한] 것을 쓴 [☑기행문 / □독후감]입니다.

6. 도자기
이천 도자기 마을 다녀온 경험과 느낌을 쓴 기행문이에요.

7. ③
이 글은 이천 도자기 마을에 방문하여 도자기를 직접 만드는 체험을 하고 쓴 기행문이에요. 따라서 제목을 정한다면 내 손으로 직접 도자기를 만든 내용이 들어가는 것이 좋아요.

8. ①
엄마께서 물컵의 찌그러진 부분에 흙으로 만든 꽃을 붙여 주셔서 모양이 나아졌다고 하였어요.

9. ①
'나'는 1문단에서 우리나라 도자기의 우수성을 알게 되어서 신기했다고 하였어요. 2문단에서 물컵의 모양이 생각한 대로 되지 않아 속상했다고 하였어요. 또 3문단에서 엄마께서 흙으로 만든 꽃을 물컵에 붙여 주셔서 모양이 나아졌기 때문에 감사한 마음이 들었다고 하였어요.

"주장하는 글(논설문)"

 알아두면 도움이 돼요!

논설문은 자신의 주장이나 의견에 사람들이 따라오도록 설득해야 하기 때문에 지켜야 할 특성들이 있어요.
1. 의견이나 주장이 독창적이어야 해요.
2. 주장에 대한 근거나 이유가 알맞아야 해요. 마땅하지 못한 근거를 대면 설득하기 힘들어요.
3. 의사 전달을 분명하게 하기 위해서는 정확한 용어를 사용해야 해요.
4. 주장하는 내용이 논리적이어야 주제를 분명하게 드러낼 수 있어요.

ㅗ○○○년 ○월 ○일, 날씨 흐림

꼬치에 소시지를 꿰는* 것부터 쉽지 않았다. 조금만 삐뚤어져도 핫도그 모양이 잘 잡히지 않기 때문이다. 소시지에 꽂았던 꼬치가 삐뚤면 다시 빼서 꽂아야 한다. 그러면 처음 꽂았던 자리에 구멍이 생겨 소시지가 더욱 흔들거려서 꽂기가 힘들다. 내가 소시지와 꼬치 때문에 힘들게 작업하고 있는데, 갑자기 선생님께서 "민식아!"하고 부르셨다. 핫도그를 만들기 위해 꼬치에 소시지를 꽂음.

수영이랑 나는 깜짝 놀라 동시에 민식이를 보았다. 민식이는 소시지 3개를 줄줄이 ⊙꽂아서 기름에 튀기고 있었다. 선생님이 한입 크기 미니 핫도그라고 한 개만 꽂으라고 하셨는데, 민식이는 줄줄이 핫도그를 만든다고 소시지를 3개나 꽂은 것이다. 하지만 선생님은 민식이 아이디어가 좋다고 칭찬하시면서 우리들도 그렇게 만들어 보라고 하셨다. 민식이가 줄줄이 핫도그를 만듦.

* 꿰다: 어떤 물체를 꼬챙이 따위에 맞뚫려 꽂히게 하다.

핵심 요약에 체크해 보세요.

[□소시지 / ☑핫도그]를 만든 경험을 기록한 [□편지글 / ☑일기]입니다.

---

1. 핫도그

이 글은 핫도그를 만든 경험을 기록한 글입니다.

2. ②

내가 힘든 이유는 꼬치에 소시지를 꽂을 때 조금만 삐뚤어져도 핫도그 모양이 잘 잡히지 않고, 소시지에 꽂았던 꼬치가 삐뚤어져서 빼서 다시 꽂으면 소시지가 흔들려 꽂기가 힘들었다고 하였어요.

3. 꽂다

'꽂아서'는 국어사전에서 찾을 때 '꽂다'를 찾아야 해요. '꽂다'는 '쓰러지거나 빠지지 않게 박아 세우거나 끼우다.'라는 의미의 낱말이에요.

더운 여름 날, 산을 오르던 경석이와 아버지는 땀을 식히려고 시원한 계곡을 찾았다. 계곡에는 어린아이를 데리고 놀러 나온 가족도 있고 나무 그늘 아래 낮잠을 자는 어른들도 보였다. 계곡에서 많은 사람들이 쉬고 있음.

그런데 그중 한 아주머니가 "시원하게 머리나 감고 가야지."하며 배낭에서 샴푸를 꺼내 들고 일어섰다.

"아빠, 어떻게 하지요? 바로 아래 얕은 물에서 애들이 놀고 있는데."

경석이는 주위 사람들을 둘러보았지만 아주머니를 말리려는 사람은 없었다. 그 사이 아주머니는 물가로 와 자리를 잡고 앉았다. 아버지가 경석이에게 눈짓을 했다. 아주머니가 계곡에서 머리를 감으려고 함.

"그릇된* 일에는 관용*을 베푸는 것이 아니야."

아버지 말씀에 경석이는 용기를 얻었다. 경석이는 막 샴푸 뚜껑을 여는 아주머니에게 다가가 이렇게 말했다.

"아주머니, 계곡에서 샴푸로 머리를 감으면 안 돼요. 물고기들이 다 죽잖아요. 그리고 저 아래에서 아이들이 물놀이를 하고 있어요." 아버지의 말씀에 용기를 얻은 경석이 아주머니를 말림.

* 그릇되다: 어떤 일이 이치에 맞지 않다.   * 관용: 남의 잘못을 너그럽게 받아들이거나 용서함.

핵심 요약에 체크해 보세요.

아주머니가 [□친절한 / ☑잘못된] 행동을 하지 못하게 하는 이야기를 통해 우리에게 깨달음을 주는 [☑동화 / □일기]입니다.

---

4. 계곡, 머리

아주머니는 계곡에서 시원하게 머리나 감고 가겠다고 말하여 배낭에서 샴푸를 꺼냈다고 하였어요.

5. ①

아주머니는 모든 사람들이 같이 즐기는 계곡에서 다른 사람과 자연을 생각하지 않고 자기만을 위해서 머리를 감으려 하고 있어요.

설명하는 글　문제 ❻∼❾

1 민화는 옛날 사람들이 널리 사용하던 그림이에요. 따라서 민화 속에는 우리 조상의 삶과 신앙* 그리고 멋이 깃들어 있어요. 민화가 보통의 그림과 다른 점은 생활에 필요한 실용*적인 그림이라는 것이에요. 다시 말해, 선비들이 그린 품격이 높은 산수화*나 솜씨 좋은 화원*이 그린 작품들은 오래 두고 감상하는 그림이지만, 민화는 어떤 특별한 목적을 위해 사용한 그림이지요. 1문단: 민화의 의미와 실용적인 특징.

2 민화의 쓰임새는 여러 가지였어요. 혼례식이나 잔치를 치를 때 장식용으로 쓰던 병풍 그림, 대문이나 벽에 부적처럼 걸어 둔 그림, 그리고 자신의 소망을 빌거나 누군가를 축하하는 그림도 민화였어요. 2문단: 민화의 다양한 쓰임새.

3 민화는 호랑이, 까치, 물고기, 사슴, 학, 거북, 토끼, 매와 같은 동물이나 소나무와 대나무, 모란, 불로초*, 연꽃, 석류 같은 식물 등의 다양한 소재를 사용했어요. 해태*나 용 같은 상상의 동물도 있지요. 우리 조상은 민화에 복을 기원하였고, 민화는 악귀나 나쁜 것을 몰아내는 힘이 있다고 믿었던 거예요. 3문단: 민화의 다양한 소재.

＊**신앙:** 종교 등을 믿는 일.　　＊**실용적:** 실제로 사용하기에 알맞은.
＊**산수화:** 산과 물이 어우러진 자연의 아름다움을 그린 그림.
＊**화원:** 조선 시대에 도화서라는 관청에서 그림을 그리던 사람. 오늘날의 화가.
＊**불로초:** 먹으면 늙지 않는다는 풀.
＊**해태:** 선악을 판단하여 안다는 상상의 동물로, 사자와 비슷하나 머리 가운데 뿔이 하나 있다 함.

핵심 요약에 체크해 보세요.

민화의 [✔쓰임새 / ☐역사]를 알려 주고, 민화의 소재에는 어떤 것들이 있는지 [✔설명하는 / ☐주장하는] 글입니다.

6. 민화
이 글은 옛날 사람들이 널리 사용하던 민화에 대해 설명하는 글이에요.

7. ①
3문단에서 민화는 다양한 동물과 식물들을 소재로 삼았다고 했어요.

8. ④
1문단에서 민화는 선비들이 그린 품격이 높은 산수화도 아니고, 솜씨 좋은 화원이 그린 작품도 아니라고 했어요.

9. ① 장식, ② 부적, ③ 소망, ④ 축하
2문단에서 민화는 장식용으로 쓰던 병풍 그림, 대문이나 벽에 부적처럼 걸어 둔 그림, 자신의 소망을 빌거나 누군가를 축하하는 그림이라고 하였어요.

십자말 풀이　[가로 열쇠]　1. 이자　　2. 관절　　3. 산수화
　　　　　　　　[세로 열쇠]　1. 투성이　2. 자극　3. 절개　4. 수직

06 일차

설명하는 글   문제 ①~③

지도는 우리가 사는 곳을 작게 줄여서 알기 쉽게 나타낸 그림이에요. 지도는 땅, 산, 강, 호수와 같은 자연 환경과 길, 건물과 같은 인공적인 환경을 일정한 비율로 줄이고 간편한 기호로 표시해 쉽게 알아볼 수 있게 만든 거예요. 사람들은 지도를 보며 자기가 사는 고장의 모습을 알기도 하고 위치를 파악하기도 해요. 지도의 개념.

우리는 지도를 보고 길을 찾고 거리를 측정하며, 여행을 계획해요. 또 배와 항공기 조종사도 지도를 이용해서 운항하지요. 이 밖에도 지도는 집과 집 사이의 경계나 나라 사이의 경계를 나눌 때도 쓰이고, 고장과 고장을 연결하는 철도와 도로를 놓을 때도 쓰여요. 지도의 다양한 쓰임.

* **비율**: 어떤 수나 양의, 다른 수나 양에 대한 비교 값.   * **측정하다**: 일정한 양을 기준으로 하여 같은 종류의 다른 양의 크기를 재다.   * **운항하다**: 배나 비행기 따위를 운용하다.   * **경계**: 지역이 구분되는 한계.

핵심 요약에 체크해 보세요.

[□ 지폐 / ☑ 지도]가 무엇인지, 일상생활에서 어떻게 쓰이는지에 대해 [☑ 설명하는 / □ 기록하는] 글입니다.

1. 지도
이 글은 지도가 무엇인지, 어떻게 쓰이는지를 설명한 글입니다. 따라서 '지도란 무엇인가?' 정도의 제목이 적절해요.

2. ③
지도는 우리가 사는 곳을 작게 줄여서 알기 쉽게 나타낸 그림이라고 하였어요.

3. ④
사람들은 모르는 곳을 갈 때 지도를 살펴보고, 지도를 보며 자기가 사는 고장의 모습을 알기도 하고 위치를 파악한다고 하였어요. 또 지도는 고장과 고장을 연결하는 철도와 도로를 놓을 때도 쓰인다고 하였어요. 하지만 지도를 보고 그 지역에 사는 사람들이 얼마나 많은지를 알 수는 없어요.

주장하는 글   문제 ④~⑥

여러 사람이 다 같이 함께 하는 곳을 공공장소라고 해요. 공공장소에서는 남에게 피해를 주지 않도록 최대한 주의해야 해요. 여러분들이 친구들과 즐겁게 식사를 하며 조용히 이야기를 나누고 싶은데, 주위가 너무 시끄러워서 어떻게 해야 할지 당황스러웠던 경우를 생각해 보세요. 그때 여러분에게 가장 필요했던 것은 무엇이었습니까? 이러한 경험을 교훈 삼아 앞으로는 지하철이나 버스, 식당, 은행, 도서관, 박물관 같은 ⊙공공장소에서는 말소리를 낮추고, 뛰는 행동은 절대 하지 말아야 합니다.

핵심 요약에 체크해 보세요.

[☑ 공공장소 / □ 개인적인 장소]에서 다른 사람의 입장을 고려하여 행동해야 한다고 [□ 홍보하는 / ☑ 주장하는] 글입니다.

4. ③
공공장소는 여러 사람이 다 같이 함께 있는 곳으로, 지하철, 식당, 은행, 박물관 등이 있어요.

5. ③
공공장소에서는 남에게 피해를 주지 않도록 주의해야 한다고 하였어요. 공공장소에서 옆 사람과 대화할 때 말소리를 낮추는 것은 다른 사람에게 피해를 주지 않도록 주의하는 행동이에요.

6. 피해
철희는 공공장소인 도서관에서 시끄럽게 책을 읽고 있다고 하였어요. 따라서 재승이는 철희에게 도서관에서는 남에게 피해를 주지 않기 위해 노력해야 한다고 말해 줄 수 있어요.

전래 동화   문제 **7**~**10**

어느 날 아침, 한음이 오성의 집에 놀러 왔습니다. **오성의 집 마당의 큰 감나무에는 빨간 감들이 탐스럽게 열려 있었습니다.** 이 감나무 가지는 담 너머 옆집인 권 판서 댁까지 뻗어 있었습니다.

"야, 저 감 참 맛있겠다!"

한음이 담 너머에 있는 감을 가리키며 말했습니다. 오성은 한음의 마음을 알아채고 감을 따려고 했습니다.

㉠"우리 집 감을 왜 허락도 없이 따려고 하시오?"

옆집 하인이 말했습니다.

"무슨 말인가? 우리 감나무에 달린 감이야."

"도련님 댁 감이라고요? 그건 우리 감이에요. 보시다시피 우리 집으로 가지가 넘어왔잖아요."

옆집 하인이 넘어간 감나무 가지를 자기네 것이라고 우기며 감을 따지 못하게 했습니다.

"그런 경우가 어디 있나? 그 감은 우리 것이네. 아무리 담 너머로 가지가 넘어갔어도 감나무는 우리 집에서 심고 가꾸었기 때문이야."

오성은 어이없다는 듯이 옆집 하인에게 항의하고, 오성의 옆집인 권 판서의 사랑방 앞에 멈추어 섰습니다.

"대감님, 저의 무례함을 용서하십시오."

오성은 창호지를 바른 방문 안으로 팔을 쑥 들이밀었습니다. 책을 읽고 있던 권 판서는 방문을 뚫고 들어온 팔을 보고 깜짝 놀랐습니다.

"대감님, 지금 이 팔이 누구 팔입니까?"

"그야 자네 팔이지, 누구 팔이겠느냐?"

"지금 이 팔은 방 안에 들어가 있지 않습니까?"

"방 안에 있다 해도 자네 몸에 붙었으니까 자네 팔이지."

"그렇다면 담 너머 감나무에서 뻗어 나와 이 댁에 넘어온 가지는 누구네 것입니까?"

권 판서는 오성이 무엇 때문에 방문을 뚫고 팔을 들이밀었는지 그 뜻을 금방 깨달았습니다.

 담 넘어 간 [□밤 /☑감]으로 생긴 갈등을 슬기롭게 해결하는 모습을 보여 주는 [□동시 /☑전래 동화]입니다.

7. ②
감나무는 오성의 집 마당에 심어져 있다고 하였어요.

8. ④
옆집 하인은 '보시다시피 우리 집으로 가지가 넘어왔잖아요.'라고 하면서 감나무 가지가 권 판서네(자기의 집)로 넘어왔기 때문에 오성이 감을 따지 못하게 하였어요.

9. 방문, 팔, 뿌리
오성과 한음은 오성의 집에 심어져 있으나 권 판서네 집 담을 넘어간 감나무 가지에 달린 감을 자기네 것이라 우기는 옆집 하인 때문에 어이가 없었어요. 그 후 권 판서 댁에 찾아간 오성은 권 판서의 방문 안으로 팔을 집어 넣었고, 권 판서는 팔이 오성의 것인 것처럼 담을 넘은 감나무 가지도 오성의 것이라고 하였어요.

10. ①
권 판서 댁 하인은 오성의 집 감나무 가지가 자기네 것이라고 우기면서 욕심을 부리고 있어요. 그러므로 자기 것이 아닌 남의 물건을 탐내지 말라고 말해 줄 수 있어요.

독서 기록문　　문제 ❶~❷

• 책 제목: 『단군 신화*』
  2-①
• 읽은 날짜: ○월 ○○일
  2-②
• 읽게 된 이유: 엄마께서 이 책을 보여 주시며 읽어 보라고 말씀하셨다.

• 줄거리: 호랑이와 곰은 사람이 되기 위해서 동굴 속에서 100일 동안 쑥과 마늘만 먹기로 한다. 호랑이는 매운 마늘과 맛없는 쑥을 참지 못하고 동굴 밖으로 도망 갔다. 그러나 곰은 100일 동안 열심히 마늘과 쑥을 먹고 사람이 된다. 하늘에서 내려온 환웅과 사람이 된 곰은 결혼을 하게 되고 단군을 낳았다. 단군 할아버지 는 새로운 나라를 세우는데 그 나라가 바로 우리나라이다.
  2-③
• 인상 깊었던 부분: 하늘에서 사람이 내려올 수 있다니 신기했고, 곰이 사람이 되는 것도 놀라웠다.
  2-③
• 배우고 느낀 점: 단군은 하늘에서 내려온 환웅의 아들이었다. 그리고 단군이 우리 나라를 세웠다.

* 신화: 민족·국가 등이 어떻게 시작되었는지 전해지는 이야기.

핵심 요약에 체크해 보세요. [□신문 / ☑책]을 읽은 후 줄거리나 느낀 점 등을 정리하여 기록한 [☑독서 기록문 / □광고문]입니다.

1. ④

곰은 100일 동안 열심히 마늘과 쑥을 먹어서 사람이 되었고, 하 늘에서 내려온 환웅과 결혼을 하 여 단군을 낳았다고 하였어요.

2. ④

책 제목, 읽은 날짜, 책을 읽게 된 이유, 책에 대한 나의 생각 등 이 나타나 있어요. 그러나 엄마 께서 왜 『단군 신화』를 읽어 보 라고 하였는지에 대해서는 말하 지 않았어요.

설명하는 글　　문제 ❸~❺

1 기후는 지역에 따라 열대, 온대, 한대로 나뉩니다. 우리나라는 봄, 여름, 가을, 겨울 사계절이 뚜렷한 온대 기후입니다. 기후의 종류와 온대 기후에 해당하는 우리나라.

2 봄은 3~5월로 날씨가 따뜻해져 얼었던 땅이 풀리며, 새싹이 돋고 꽃이 핍니다. 여름은 6~8월로 날씨가 무더우며 비가 많이 옵니다. 풀과 나무들이 무성하게 자라 며, 곡식과 과일이 익기 시작합니다. 가을은 9~11월로 날씨가 서늘해지며 단풍이 듭니다. 사람들은 추수*를 하고, 동물들은 겨울나기*를 준비합니다. 겨울은 12~2월 로 낮의 길이가 [　⊙　] 날씨가 춥습니다. 풀은 마르고, 나무는 잎을 떨어뜨린 채 겨울잠을 잡니다. 각 계절의 특징.

3 이처럼 우리나라는 사계절이 뚜렷하기 때문에 따뜻하고, 무덥고, 서늘하고, 추 운 것을 고루 느낄 수 있고, 자연환경이 아름다워 ⓒ다른 기후 지역의 사람들이 무 척 부러워합니다. 사계절이 뚜렷한 우리나라의 기후.

* 추수: 가을에 익은 곡식을 거둬들이는 일.　　* 겨울나기: 겨울을 넘김.

핵심 요약에 체크해 보세요. 우리나라의 기후가 [□열대 / ☑온대]임을 밝히고, 그 특징을 [☑설명하는 / □감상 하는] 글입니다.

3. ①

이 글은 사계절이 뚜렷한 우리나라 의 온대 기후를 설명하고 있어요.

4. 짧고

겨울에는 낮의 길이가 짧아요. 따라서 '짧고'라고 써야 해요.

5. ③

3문단에서 우리나라는 사계절이 뚜렷하기 때문에 따뜻함부터 추 운 것까지 고루 느낄 수 있고, 자 연환경이 아름다워 다른 기후 지 역의 사람들이 부러워한다고 했 어요.

편지글   문제 ❻~❾

사랑하는 부모님께

엄마, 아빠 안녕하세요? 저는 서연이에요. 내일은 어버이날이에요. 어버이날을 맞이해서 내일 수업 시간에 학교에서 편지를 쓰기로 했는데, 저는 오늘 먼저 쓰려고 해요. 엄마, 아빠께 하고 싶은 말들이 너무 많아서요. 첫인사와 편지를 쓴 동기.

엄마, 아빠. 저희를 키우시느라 많이 힘드시죠? 매일 아침 저희가 일어나기도 전에 일찍 일어나셔서 출근 준비도 하시고, 저희를 챙겨서 학교도 보내 주시느라고요. 그런데도 ^{8-①}저는 일어나기 싫다고 가끔씩 짜증을 부리고, 차려 주신 아침밥이 맛없다고 투덜거리기도 하고, ^{8-③}동생들을 잘 돌봐야 하는데 맛있는 것이 있으면 먼저 먹겠다고 싸우기도 했어요. 지금 생각해 보니 이런 제 모습이 정말 부끄러워요. 지난 번 비 오는 날에는 아빠께서 저를 학교 앞까지 데려다 주셨는데, 저는 비를 한 방울도 맞지 않았지만 아빠는 비를 맞아서 옷이 흠뻑 젖으신 걸 보았어요. 아직도 그 모습이 계속 생각이 나서 죄송하고 정말 감사해요.

우리 집은 다른 집보다 식구가 많아서 엄마랑 아빠가 더 힘드실 거라고 생각해요. 외할머니와 이모도 같이 사시는데 제가 자꾸 말썽만 피워서 죄송해요. 고생하시는 부모님을 떠올리며 그동안의 행동을 반성함.

엄마, 아빠! 제가 어버이날을 맞아 준비한 게 있어요. 내일 저녁에 우리 식구들 모두 밖에 나가서 맛있는 것을 먹는 거예요. 제가 동생들이랑 지금까지 모은 용돈으로 준비했어요. 엄마, 아빠께서 정말 좋아하셨으면 좋겠어요. 제가 어른이 되면 더 좋은 것을 꼭 해드릴게요. 어버이날 선물을 알림.

저는 엄마, 아빠의 딸이어서 정말 행복해요. 앞으로 엄마, 아빠께 효도하는 사랑스런 딸이 되도록 많이 노력할게요. 엄마, 아빠 사랑해요. 그럼 안녕히 계세요. 부모님께 효도하겠다는 다짐과 끝인사.

– 2000년 5월 7일 서연 올림.

핵심 요약에 체크해 보세요.

서연이가 어버이날을 맞이하여 [□할머님 / ☑부모님]께 감사하는 마음을 전하는 [☑편지글 / □반성문]입니다.

---

6. 어버이날, 용돈
서연이는 어버이날을 맞이해서 동생들과 자신의 용돈을 모아 식구들 모두 밖에 나가서 맛있는 것을 먹는 자리를 준비했다고 하였어요.

7. ④
서연이는 어버이날을 맞이하여 부모님께 감사하는 마음을 전달하기 위해서 이 편지를 썼어요.

8. ④
서연이는 비 오는 날 아빠가 학교 앞까지 데려다 주셨는데, 그 때 아빠께서 비에 흠뻑 젖으신 걸 보았다고 하였어요. 비 오는 날 이모가 우산을 들고 온 이야기는 드러나 있지 않아요.

9. 흠뻑
'물이 쭉 내배도록 몹시 젖은 모양.'을 나타내는 단어는 '흠뻑'이에요.

"편지"

알아두면 도움이 돼요!

특정한 상대에게 소식이나 안부를 전하기 위하여 적어 보내는 글을 편지라고 합니다. 편지는 아래와 같은 순서로 써요.

받는 사람 → 첫 인사 → 하고 싶은 말 → 끝인사 → 쓴 날짜 → 쓴 사람

설명하는 글　　문제 ❶~❷

오늘날 지구에 사는 동물의 종류는 약 172만 종이 넘는다고 해요. 아직까지 발견되지 않은 동물까지 합하면 그 수는 더 어마어마할 거예요. 이처럼 동물의 종류가 많아진 것은 동물이 주변 환경과 생활 방식에 맞게 적응하고 진화했기* 때문이랍니다. 동물은 사는 곳에 따라 다른 특징을 가지지요. 지구에 다양한 종류의 동물이 사는 이유.

- 땅에서 사는 동물: 사자와 사슴, 다람쥐 등 땅에서 사는 동물은 주변 온도에 상관없이 체온을 항상 일정하게 유지하기* 위해 ㉠온몸이 털로 덮여 있어요. 땅에서 사는 동물의 특징.
- 하늘에서 사는 동물: 비둘기나 독수리 등의 새는 하늘을 날기 위해 날개가 발달했어요. 또 뼛속에 구멍이 뚫려 있고 '기낭'이라고 하는 공기주머니가 폐에 연결되어 있어 몸이 가벼워요. 그래서 새는 하늘을 잘 날 수 있지요. 하늘에서 사는 동물의 특징.
- 물에서 사는 동물: 물고기는 물속에서 자유롭게 헤엄칠 수 있게 도와주는 지느러미와 물속에서도 숨을 쉴 수 있게 해 주는 아가미, 그리고 물 위로 떠오르거나 물속으로 가라앉기 위한 부레가 발달했답니다. 물에서 사는 동물의 특징.

* **진화하다**: 생물이 간단한 것에서 복잡한 것으로 변해 가다.
* **유지하다**: 어떤 상태나 현상을 그대로 보존하다.

핵심 요약에 체크해 보세요.

지구에 사는 [✔동물 / ☐식물]이 주변 환경과 생활 방식에 맞게 진화하여 종류가 다양해졌다는 것을 [☐주장하는 / ✔설명하는] 글입니다.

1. 진화

1문단에서 동물의 종류가 많아진 것은 동물이 주변 환경과 생활 방식에 맞게 적응하고 진화했기 때문이라고 하였어요.

2. ③

2문단에서 다람쥐와 같이 땅에서 사는 동물은 주변 온도에 상관없이 체온을 항상 일정하게 유지하기 위해 온몸이 털로 덮여 있다고 하였어요.

주장하는 글　　문제 ❸~❹

우리는 철수의 '이'입니다. 우리는 철수가 먹는 음식물들을 잘게 부수어서 소화가* 잘 되게 도와줍니다. 우리의 역할은 매우 중요하기 때문에 청소를 자주 해 주어야 합니다.

철수는 과자와 초콜릿을 무척 좋아해서 자주 먹습니다. 그런데 우리는 그것들을 씹는 것이 그다지 기분이 좋지는 않습니다. 왜냐하면 초콜릿이나 과자들은 우리를 비집고 들어와서 우리를 더럽히기 때문입니다. 게다가 충치와 같은 나쁜 세균들을 불러 모아 우리를 공격합니다.

어제는 치과에서 우리 중 하나가 그만 뽑히고 말았습니다. 철수가 우리를 청소해 주지 않고 사탕을 입에 문 채로 잠들었기 때문입니다. 그래서인지 철수가 오늘은 과자를 조금 밖에 먹지 않았습니다.

비록 음식물을 씹는 것이 우리의 일이지만, 철수가 군것질을 자주 해서 우리 주변에 세균이 득실득실한 것은 너무 괴롭습니다. 앞으로는 철수가 우리들이 항상 깨끗하도록 노력해 주면 좋겠습니다.

핵심 요약에 체크해 보세요.

철수의 [☐귀 / ✔이]를 사람처럼 표현하여 이를 깨끗하게 닦으라고 [☐광고하는 / ✔주장하는] 글입니다.

3. ②

철수가 군것질을 자주 해서 우리(이) 주변에 세균이 득실득실하다고 했어요. 따라서 철수의 '이'가 항상 깨끗하다고 한 것은 알맞지 않아요.

4. ②

3문단에서 철수가 이를 닦지 않고 사탕을 문 채로 잠들었다고 했어요.

* **소화**: 섭취한 음식물을 분해하여 영양분을 흡수하기 쉬운 상태로 변화시키는 일.
* **충치**: 벌레 먹은 이. 삭은니.

발표　문제 ❺~❽

선생님: 오늘은 지난번에 숙제로 내 주었던 것에 대해서 발표해 보려고 합니다. 숙제가 뭐였죠?

학생들: 우리가 일상생활을 할 때 도움이 되는 정보를 알아오는 거예요!

선생님: 네. 맞아요. 다들 숙제 잘 해 왔지요? 그러면 누가 가장 먼저 발표해 볼까요?

주　원: 제가 발표하겠습니다.

선생님: 그래요. 주원이가 발표해 보세요. 주원이는 무슨 내용을 준비해 왔나요?

주　원: 미세 먼지로 인한 피해를 줄이는 방법을 조사해 왔습니다.

선생님: 아. 그렇군요. 그러면 지금부터 우리 주원이가 발표를 할 거예요. 친구들은 주원이를 쳐다보면서 주원이의 말을 ㉠경청해 주세요. 그리고 좋은 내용이 나오면 메모를 하는 것도 발표를 듣는 좋은 방법이랍니다. 주원이는 친구들이 잘 들을 수 있게 큰 목소리로 발표해 주세요. 모두 주원이가 발표를 잘 할 수 있게 큰 박수를 보내 주세요.

주　원: 안녕하세요. 저는 갈수록 심해지는 미세 먼지로 인한 피해를 줄이기 위해 국가는 어떤 노력을 하고 있으며, 우리는 어떤 노력을 할 수 있는지를 조사해 보았습니다.

먼저, 국가에서는 미세 먼지로 인한 피해를 줄이기 위해 여러 가지 대책을 마련하였습니다. 첫 번째는 미세 먼지 때문에 질환을 앓고 있는 학생에 한해 미세 먼지 결석을 ㉡허용하기로 하였습니다. 두 번째는 2020년까지 모든 학교에 공기 정화* 시설을 설치하기로 하였습니다. 이것은 미세 먼지의 영향을 크게 받는 장소가 학생들이 많은 시간을 보내는 학교라는 것을 ㉢고려한 것입니다.

이번에는 우리가 할 수 있는 미세 먼지로 인한 피해를 줄이는 방법을 알려 드리겠습니다. 우리는 미세 먼지 농도가 나쁜 날에는 외출을 하지 않아야 합니다. 만약 어쩔 수 없이 나가야 할 때에는 반드시 미세 먼지용 마스크를 ㉣착용해야 합니다.

미세 먼지는 막을 수 없어도 미세 먼지로 인한 피해는 예방할 수 있습니다. 이상으로 발표를 마치겠습니다. 감사합니다.

* 정화: 더러운 것을 깨끗하게 함.

 핵심 요약에 체크해 보세요.

[☑미세 먼지로 인한 피해를 줄이는 방법 / □미세 먼지를 없애는 방법]에 대해 수업 시간에 [□토의 / ☑발표]하고 있습니다.

5. ②
주원이는 미세 먼지로 인한 피해를 줄이기 위해 국가는 어떤 노력을 하고 있으며, 우리는 어떤 노력을 할 수 있는지를 조사해 보았다고 하였어요.

6. 다, 라
주원이는 미세 먼지 피해를 줄이기 위해 국가에서 내놓은 대책과 우리 스스로 미세 먼지로 인한 피해를 줄이기 위해 할 수 있는 노력에 대해 발표했어요. 따라서 발표를 준비할 때에도 이와 관련된 내용을 알아보았을 거예요.

7. ③
선생님은 주원이가 발표를 할 때, 친구들은 발표자인 주원이를 쳐다보며 경청해야 한다고 하였어요. 또 주원이가 발표를 잘 할 수 있도록 큰 박수를 보내야 한다고도 하였어요.

8. ④
'착용하다'는 '사람이 옷이나 물건을 입거나 신거나 쓰거나 차다.'라는 의미의 낱말이에요.

설명하는 글 문제 ❶~❷

1-③ 필요한 준비물.

준비물: 골판지, 플라스틱 숟가락 2개, 공예용 본드, 글루건, 풀, 꾸미기 도구(색종이, 색연필, 크레파스)

골판지에 부채 모양을 2개 그려서 오려요. 골판지 무늬의 방향이 한 개는 세로, 한 개는 가로가 되게 해요. 튼튼하게 만들기 위해서예요. 손잡이 부분에 붙일 골판지를 작은 모양으로 두 개 오려요. ㉠이때에도 골판지 무늬의 방향이 한 개는 세로, 한 개는 가로가 되게 해요.

작은 골판지를 각각 큰 골판지에 공예용 본드로 붙여요. 이때 작은 골판지와 큰 골판지의 무늬를 반대로 하는 것이 중요해요. 작은 골판지가 튼튼하게 붙으면 큰 골판지끼리 붙여요.

손잡이 부분에 플라스틱 숟가락을 글루건으로 붙여서 고정시킨 뒤 부채를 색종이나 색연필 등으로 꾸며요. 글루건은 열을 가하면 뜨거워서 화상을 입을 수 있으므로, 사용할 때는 꼭 어른의 도움을 받아요.

1-④ 글루건 사용시 주의점.

1-② 부채 만드는 과정.

핵심 요약에 체크해 보세요.

부채를 만들 때 필요한 [□비용 / ☑준비물]과 부채를 만드는 방법을 [☑설명하는 / □주장하는] 글입니다.

1. ①

이 글에서는 부채를 만들 때 필요한 준비물, 부채를 만드는 순서, 글루건을 사용할 때 주의할 점, 부채를 만드는 방법에 대해 이야기하고 있어요.

2. ①

앞 글에서 골판지 무늬의 방향을 다르게 하는 이유는 튼튼하게 만들기 위해서라고 했어요.

주장하는 글 문제 ❸~❹

한국교통연구원이 2017년에 발표한 자료에 따르면, 자전거를 타는 사람이 1,340만 명을 넘었다고 합니다. 그러면서 자전거를 타다가 일어나는 사고도 빠르게 늘고 있다고 했습니다. 그렇다면 자전거를 안전하게 타는 방법은 무엇일까요?

첫째, 안전 장비를 갖추고 타야 합니다. 만약 사고가 나더라도 안전 장비는 소중한 우리 몸을 지켜 줄 수 있기 때문입니다. 자전거를 탈 때 필요한 안전 장비에는 안전모, 장갑, 팔꿈치와 무릎 보호대 등이 있습니다.

4-①

둘째, 위험한 행동을 하지 않아야 합니다. 위험한 행동을 하면 자칫 큰 사고가 날 수 있기 때문입니다. 자전거를 탈 때 무리하게 속도 내기, 손 놓고 타기는 매우 위험한 행동입니다. 사고는 한순간에 일어날 수 있습니다.

4-②

셋째, 자전거 상태를 자주 점검해야 합니다. 고장 난 부분을 미리 발견해야 사고를 예방할 수 있기 때문입니다. 특히 브레이크, 바퀴, 손잡이를 주의 깊게 살펴보아야 합니다. 그 외에도 자전거에 고장 난 곳은 없는지 자주 점검해야 합니다.

4-④

자전거를 안전하게 타는 방법을 아는 것만큼 실천도 중요합니다. 그러므로 그 방법을 항상 기억하고 이를 잘 실천하여 자전거를 안전하게 타도록 합니다.

3. 자전거

자전거를 안전하게 타는 방법을 안내하면서 그 실천을 주장하고 있어요.

4. ③

자전거를 안전하게 타는 방법으로 안정 장비를 갖추고 탈 것, 위험한 행동을 하지 말 것, 자전거 상태를 자주 점검할 것 등을 들었어요.

핵심 요약에 체크해 보세요.

[☑자전거 / □자동차]를 안전하게 타는 방법을 안내하면서 그 실천을 [□광고하는 / ☑주장하는] 글입니다.

전기문   문제 ❺~❽

이순신은 비교적 늦은 나이인 31세 때 무과(武科)에 합격하여 무관이 되었습니다. 하지만 성실한 자세와 어려서부터 남달리 관심을 가지고 연구한 병법에 대한 지식을 바탕으로 점차 재능을 드러냈습니다. 이순신은 준비성이 철저한 사람이었고 그의 능력은 1592년에 크게 빛을 발했습니다.   성실한 자세와 준비성이 철저한 이순신의 모습.

이순신은 임진왜란이 일어나기 일 년 전인 1591년 전라좌도 수군절도사에 임명되자 각 부대의 현황을 살피는 한편 세계 최초의 철갑선인 거북선을 만들면서 군대를 튼튼히 했습니다.

"배 위에 왜 창검과 송곳을 꽂나요?"

"적이 배에 올라타지 못하도록 하기 위함이니라."
거북선 자체는 조선 초기에도 있었으나 두꺼운 쇠로 배 위를 보호하고 거기에 날카로운 쇠침을 꽂은 것은 이순신의 독창적인 생각이었습니다. 또한 앞머리, 옆구리에 화포를 설치해서 적군에게 포를 쏠 수 있게 만들었습니다.   거북선을 만들어 전쟁에 대비한 이순신.

"거북선을 돌진시켜라!"

이순신은 1592년 5월 29일 벌어진 사천 해전에서 거북선을 처음으로 출전시켜 승리했으며, 조선 수군의 사기를 크게 올렸습니다. 이순신은 같은 해 여름 한산도 해전에서 학익진을 사용해 대승을 거두며 왜군에게 두려움을 안겼습니다.   첫 번째 사천 해전.   두 번째 한산도 해전.   사천 해전과 한산대 해전에서 대승을 거둠.

이순신은 한때 모함을 받아 백의종군했으나 다시 1597년 삼도 수군통제사로 임명됐습니다. 당시 남은 배는 12척 뿐이었습니다. 그러나 이순신은 1척을 보강하여 그해 가을 명량 해전에서 빠른 물살을 이용한 작전으로 왜선 133척 중 31척을 침몰시키며 크게 승리했습니다. 이순신은 1598년 노량 해전에서 마지막 승리를 거뒀지만 적의 총탄을 맞고 숨졌습니다. 이순신은 위기에 빠진 조선을 구한 위대한 영웅입니다.   세 번째 명량 해전.   네 번째 노량 해전.   위기에 빠진 조선을 구한 이순신의 영웅적 활약상.

* **무과:** 조선 때, 무예(武藝)에 능통한 사람을 뽑던 과거.
* **병법:** 군사를 지휘하여 전쟁하는 방법.
* **임진왜란:** 조선 시대에 일본이 조선을 침입한 전쟁.
* **학익진(鶴翼陣):** 학이 날개를 편 모양으로 벌인 진법.
* **모함:** 나쁜 꾀를 써서 남을 어려운 처지에 빠지게 함.
* **백의종군:** 벼슬 없이 군대를 따라 싸움터로 감.

핵심 요약에 체크해 보세요.

이순신 장군이 [□중국 / ✔일본]과의 전투에서 모두 승리하며, 위기에 빠진 조선을 구하는 모습을 그린 [✔전기문 / □기행문]입니다.

---

5. ②

1597년 이순신에게 남은 배는 12척이었고, 1척을 보강하였다고 하였어요. 또 명량 해전에서 왜선은 133척이었다고 하였어요.

6. ③

거북선은 나무가 아닌 두꺼운 쇠로 배 위를 보호했으며, 이는 이순신의 독창적인 생각이라고 하였어요.

7. ①

이순신 장군은 1592년 사천 해전, 그 해 여름 한산도 해전, 1597년 명량 해전, 1598년 노량 해전에 참여했어요.

8. ④

이순신 장군은 전쟁이 일어나기 일 년 전인 1591년 수군절도사로 임명되었을 때 부대 현황을 살피면서 미리미리 전쟁에 대비하였다고 하였어요.

설명하는 글　　문제 ❶~❷

1 집안의 행사하면, 어떤 것들이 떠오릅니까? 즐거운 행사에는 혼례, 생일 잔치 등이 있고, 슬픈 행사로는 장례식, 제사 등이 있어요. 특히 혼례는 예로부터 가장 기쁘고 중요한 의식*으로 여겼답니다. `집안 행사의 종류.`

2 그러면 전통 혼례에 대해 살펴볼까요? 옛날에는 신랑이 말이나 나귀를 타고 신부 집에 가서 혼례를 치렀어요. ㉠신랑은 혼례를 치르기 전에 먼저 나무 기러기를 신부 어머니께 드렸어요. 왜냐하면 기러기는 한 번 인연을 맺으면 죽을 때까지 믿음과 의리를 지키기 때문이라고 해요. 혼례가 끝나면 신랑은 신부 집에서 첫날밤을 보냈습니다. `전통 혼례의 방법.`

3 전통 혼례는 오늘날의 결혼식과 진행 순서도 많이 달랐어요. 그리고 옛날에는 집에서 혼례를 치렀는데, 요즘은 예식장이나 야외 등 특정 장소에서 결혼식을 해요. 또 전통 혼례에서는 신랑은 사모관대*를 갖추고, 신부는 원삼에 족두리를 썼어요. `전통 혼례와 오늘날 결혼식의 다른 점.`

* **의식**: 일정한 격식을 갖추어 치르는 행사나 예식.
* **사모관대**: 사모와 관대로 전통 혼례에서 남자가 쓰던 모자와 옷.
* **원삼**: 부녀의 예복의 하나. 연둣빛 길에 자주 깃과 색동 소매를 달아 지음.

핵심 요약에
체크해 보세요.

집안의 행사 중 [□장례식 / ✔혼례]에 대해 [✔설명하는 / □홍보하는] 글입니다.

**1. (1) 족두리,
(2) 예식장**

3문단에서 전통 혼례에서 신랑은 사모관대를 갖추고 신부는 원삼에 족두리를 썼다고 하였어요. 오늘날의 결혼식은 예식장이나 야외에서 한다고 했어요.

2. ③

2문단에서 기러기는 한 번 인연을 맺으면 죽을 때까지 믿음과 의리를 지킨다고 하였어요. 따라서 신랑이 신부의 어머니께 나무 기러기를 드리는 이유는 기러기처럼 신부에 대한 믿음과 의리를 지킨다는 것을 알리기 위해서예요.

설명하는 글　　문제 ❸~❺

1 `3-①` '티끌'은 아주 작은 부스러기나 먼지를 말해요. 반면, '태산'은 아주 높고 큰 산을 뜻하지요. 원래 `3-②` 태산은 중국에 있는 다섯 개의 높은 산들 가운데 하나로, 높이가 무려 1,532m나 된다고 해요. `'티끌'과 '태산'의 의미.`

2 `3-④` 조선 시대의 유명한 정승*이었던 `3-③` 이항복은 어렸을 때 대장간* 근처에서 놀다가 버려진 쇳조각들을 발견했어요. 그래서 그때부터 버려진 쇳조각들을 독에다 모으기 시작했는데, 어느새 세 개의 독에 꽉 차게 되었어요. 그러자 사람들이 이 모습을 보고 '티끌 모아 태산'이라고 했고, 결국은 속담으로까지 만들어졌어요. `'티끌 모아 태산'의 유래.`

3 '티끌 모아 태산'이라는 속담은 티끌이라도 쌓이면 산만큼 거대해지는 것처럼, 아무리 작은 것이라도 자꾸 모으면 큰 것을 이룰 수 있다는 뜻이에요. 마치 사막같이 거대한 모래벌판도 수많은 모래알들이 모여서 이루어지듯, 처음에는 도저히 이룰 수 없는 것처럼 보이는 일이라도 포기하지 않고 계속하다 보면 결국엔 이룰 수 있어요. `'티끌 모아 태산'의 뜻.`

* **정승**: 조선 시대 때 높은 벼슬.　　* **대장간**: 쇠를 달구어 온갖 연장을 만드는 곳.

핵심 요약에
체크해 보세요.

'티끌 모아 태산'이라는 [□방언 / ✔속담]이 만들어진 계기와 그 의미를 제시하고 교훈이 무엇인지를 [□주장하는 / ✔설명하는] 글입니다.

---

3. ③

2문단에서 이항복이 조선 시대의 유명한 정승이라고 신분만 말하고 있을 뿐, 나이에 대해서는 이야기하지 않았어요.

4. 모래알

3문단에서 티끌이 쌓이고 모여서 태산이 된다고 하였어요. 마찬가지로 모래알이 모여 거대한 모래벌판을 이루는 것이므로 이를 이용하여 속담을 만들면 '모래알 모아 모래벌판'이라고 해야 해요.

5. ②

3문단에서 처음에는 도저히 이룰 수 없는 일처럼 보이지만 끝까지 포기하지 않고 계속 하다 보면 결국에는 이룰 수 있다고 하였어요. 따라서 작은 일에도 꾸준히 최선을 다해야 한다는 깨달음을 얻을 수 있어요.

전기문   문제 ❻~❾

하늘을 최초로 비행한 사람은 라이트 형제예요.

어린 시절 아버지께 선물 받은 헬리콥터 장난감을 가지고 놀던 라이트 형제는 인간도 커다란 프로펠러만 있다면 하늘을 날 수 있다고 생각했어요.

하지만 사람들은 그런 형제를 보며 기가 막혔어요.

㉠"새도 아닌 사람이 하늘을 난다니 말이 돼?"

사람들은 형제가 미쳤다고 수군댔어요

사람들은 형제가 비행기를 날릴 때마다 언덕으로 찾아와 실패하는 꼴을 구경하느라 신났어요.

"그럼 그렇지. 오늘도 또 실패인가 보군."

"그만 돌아가자고! 시간 낭비했구만."

하지만 라이트 형제는 수차례 시험 비행에 실패한 끝에 1903년, 드디어 첫 비행에 성공했어요.

㉡"와! 떴다, 떴어!"

㉢"비행기가 날고 있어!"

놀라운 일이었어요. 플라이어호가 공중에 붕 떠서 수 초간 하늘을 날더니 미끄러지듯 안전하게 착륙한 것이에요. ㉮형제는 눈물을 흘렸어요.

㉣"드디어 해냈어. 수백 번의 실패를 딛고 드디어 우리가 해낸 거야!"

비행시간은 12초였고 비행 거리도 36.5m에 불과했지만 이날의 비행은 인류 역사상 최초의 비행이었답니다.

이후에 형제는 점점 비행시간을 늘려 가서 40km를 38분 동안 비행하기도 했어요. 라이트 형제는 아메리칸 라이트 비행기 회사를 세워 비행기 제작에 평생을 바쳤답니다.

6. 라이트 형제
비행기를 만들어 하늘을 최초로 비행한 라이트 형제에 대해 다룬 전기문이에요.

7. ②
라이트 형제의 첫 비행시간은 12초였고, 비행 거리는 36.5m라고 했어요.

8. ②
라이트 형제는 수차례 시험 비행에 실패한 끝에 첫 비행에 성공하게 되었어요. 그래서 감격과 기쁨으로 눈물을 흘렸어요.

9. ①
사람이 아닌 새만 하늘을 날 수 있다는 생각은 그 당시의 고정 관념이라고 할 수 있어요.

핵심 요약에 체크해 보세요.

라이트 형제가 하늘을 날고 싶다는 꿈을 이루기 위해 노력하여 [☑비행기 / ☐열기구]를 만들었다는 내용의 [☐광고문 / ☑전기문]입니다.

어휘력 쑥쑥 테스트   **01.** 무례   **02.** 정화   **03.** 점검   **04.** 측정   **05.** 현황   **06.** 경계   **07.** 진화   **08.** 인공적

동화   문제 ❶~❷

이사 온 지 얼마 안 되는 선미는 주위에 아는 아이가 하나도 없어 무척 심심했다. 그러던 어느 날 옆집에 누가 이사를 왔는데 선미 또래의 아이가 있었다. 선미는 그 아이를 집 앞에서 몇 번 마주쳤지만 말을 붙이지 않았다. 선미는 엄마한테 말했다.

"엄마, 옆집 아이하고 놀고 싶은데 그 애가 말을 안 걸어요."

"그럼 네가 먼저 말을 해 봐."

"그건 싫어요. 용기가 없어요." 선미가 옆집 친구에게 말을 걸지 못하는 이유.

"아냐, 용기는 누구에게나 있어. 네가 없는 줄 아는 거지. 그 애도 너랑 몹시 놀고 싶을 거야. 네가 처음 이사를 왔을 때처럼 하루 종일 얼마나 심심하겠니? 그 애를 위해서라도 네가 한번 용기를 내 보렴."

"어떻게 용기를 내요?"

"네가 '용기야, 어서 나와라.'라고 하면 용기가 튀어나올 거야. 다음에 만나면 꼭 말을 걸어 봐. 그 애는 네가 말을 걸어 주길 기다리고 있을 거야." 엄마가 먼저 용기내어 말을 걸어 보라고 함.

 핵심 요약에 체크해 보세요.

일상생활에서 겪었던 [☐ 상상 / ✔경험]을 바탕으로 용기가 필요한 상황을 재미있게 꾸며낸 [✔동화 / ☐ 광고문]입니다.

1. ①

선미는 옆집 아이와 친구가 되고 싶지만 용기가 없어서 말을 걸지 못하고 있어요.

2. ④

엄마는 옆집 아이와 놀고 싶은 선미에게 '네가 먼저 말을 해 봐.'라고 하면서 친구와 마주치면 친해질 수 있도록 말을 먼저 걸어야 한다고 하였어요.

설명하는 글   문제 ❸~❹

1 스케이팅은 눈과 얼음이 많은 북쪽 지역에서 처음 생겨났어요. 미끄러운 길을 편리하게 오가기 위해서였지요. 하지만 처음부터 스케이트를 탄 것은 아니에요. 오래 전 석기 시대*에는 물건을 운반하기* 위해 동물의 뼈로 만든 썰매를 이용했어요. 기원전 3000년경 핀란드 사람들은 동물의 뼈로 만든 스케이트를 타고 꽁꽁 언 땅을 건넜지요. 1200년대 네덜란드 사람들은 나무에 쇠로 만든 날을 달아 사용했어요. 이후 스케이트는 점점 발달하여 현재의 모습을 갖추었고, 생활 도구에서 놀이 도구로 발전했답니다.

2 스케이팅 경주가 처음 시작된 곳은 1676년 네덜란드로 알려져 있어요. 1892년에는 역시 네덜란드가 주도하여* 국제 스케이팅 연맹을 만들면서 스케이트는 국제 스포츠로 발돋움했지요. 우리나라에서는 캐나다 선교사 질레트가 스케이트를 전하면서 시작되었어요. 이후 꾸준히 발전하여 우리나라는 이제 엄연한* 스케이팅 강국이 되었습니다.

* 석기 시대: 돌로 도구를 만들어 쓰던 인류 초기의 시대.   * 운반하다: 물건 따위를 옮겨 나르다.
* 주도하다: 주체적으로 이끌다.   * 엄연하다: 어떤 사실이나 현상이 부인할 수 없을 만큼 뚜렷하다.

 핵심 요약에 체크해 보세요.

스케이팅의 유래와 함께 [✔생활 도구에서 놀이 도구 / ☐ 놀이 도구에서 생활 도구]로 발전해 온 스케이트에 대해 [☐ 감상을 적은 / ✔설명하는] 글입니다.

3. 네덜란드

스케이팅 경주는 1676년 네덜란드에서 시작되었다고 하였어요.

4. ③

2문단에서 국제 스케이팅 연맹은 1892년에 네덜란드가 주도하여 만들어졌다고 하였어요.

설명하는 글　문제 ❺~❽

멀리 있는 사람과도 전화 통화를 하면 직접 만나지 않아도 이야기를 나눌 수 있^{5-③}어 편리합니다. 하지만 서로 얼굴을 보지 않고 이야기하기 때문에 상대방에게 듣고^{5-④}있다는 표시를 해 줘야 합니다.

전화를 걸 때에는 꼭 알아둘 점이 있습니다. 먼저 전화를 거는 사람이나 받는 사^{5-①}람은 "여보세요"라고 말하는데, 이는 전화 통화가 시작될 때 상대방을 부르게 위해 주로 사용하는 말입니다. 그리고 용건을 이야기하기 전에 자기가 누구인지 말하고, 주변 사람들에게 피해가 가지 않도록 작은 목소리로 이야기해야 합니다. 용건은 정^{5-②}확하고 구체적으로 말해야 하고, 통화는 짧고 간단히 하는 게 좋습니다. 또한 혼자서만 이야기하면 안 됩니다. 상대방도 말할 수 있게 상대방의 이야기를 끝까지 들어줘야 합니다. 만약, 전화가 끊기면 전화기를 내려놓고 잠시 기다렸다가 다시 걸면 됩니다. 어른과 통화할 때는 어른이 먼저 전화를 [　⑤　] 때까지 기다리는 것이 좋습니다.

자, 그럼 아래의 상황을 보고 잘된 점과 잘못된 점을 찾아 이야기해 볼까요?

민기: (전화를 건다. 따르릉! 따르릉!)

나연: 여보세요?

민기: 난데 네가 지난번에 보던 그 책 좀 빌려줘.

나연: (당황해 하며) 어. 안녕. 민기야. 어떤 책을 말하는 건데?

민기: 네가 지난번에 보던 그 책 있잖아. 뭐더라…….

나연: 아, 엄마 마중?

민기: 어, 맞아.

나연: 그래. 나 다 읽었으니 빌려줄게. 언제 줄까?

민기: 지금 바로 너희 집에 가도 돼? 그 책 얼른 보고 싶거든.

나연: 그래. 그럼 나 집에 있으니 아무 때나 와.

민기: 고마워. 그럼 이따가 보자. 안녕.

나연: 그래. 이따 봐. 끊을게. 안녕.

5. ②

2문단에서 전화 통화를 할 때는 주변 사람들에게 피해가 가지 않도록 작은 목소리로 이야기해야 한다고 했어요.

6. ③

나연과 민기는 전화 통화를 마무리할 때 서로에게 '안녕'이라고 말하며 인사를 나누었어요.

7. ④

전화를 건 민기는 나연에게 자신이 누구인지 명확히 밝히지 않았어요. 또 그리고 자신의 용건을 정확하게 전하지 못하여 상대방인 나연이 민기에게 책 제목을 알려주기도 했어요.

8. 끊을

'끊다'는 '전화 통화 따위를 끝내다.'라는 의미의 낱말이고, '끓다'는 '액체가 뜨거워져서 부글부글 솟아오르다.'를 의미하는 낱말이에요. 그러므로 '끊다'를 문장에 맞게 쓴 '끊을'이 들어가야 해요.

핵심 요약에 체크해 보세요.

[☑전화 통화를 할 때 / ☐문자 메시지를 보낼 때] 주의해야 할 점을 [☐주장하는 / ☑설명하는] 글입니다.

전래 동화　　　문제 ①～②

옛날에 다람쥐 세 마리가 먹음직스러운 도토리 하나를 주웠어요. 세 다람쥐는 도토리를 보고 서로 자기 것이라고 우겼어요.

"내가 제일 봤으니까 도토리는 내 것이야."

"내가 먼저 말을 했으니까 도토리는 내 것이야."

"내가 먼저 주웠으니까 도토리는 내 것이야."

아무리 말다툼을 해도 결론이 나지 않아 다른 동물에게 가서 물어보기로 했어요. 먼저, 눈이 밝은 부엉이에게 가서 물어봤어요.

부엉이는 "뭐니 뭐니 해도 눈 밝은 게 제일이지. 먼저 본 다람쥐가 주인이야."

앵무새는 "뭐니 뭐니 해도 말 잘하는 게 제일이지. 먼저 말한 다람쥐가 주인이야."

토끼는 "뭐니 뭐니 해도 재빠른 게 제일이지. 먼저 주운 다람쥐가 주인이야."

그러자 먹보 다람쥐는 "먼저 보는 것도, 먼저 말을 하는 것도, 먼저 줍는 것도 소용없어. 먼저 먹는 다람쥐가 주인이야."라고 말하며 도토리를 삼켜 버렸어요.

1. ③

세 다람쥐는 주운 도토리를 서로 자기 것이라고 생각해서 싸우게 되었어요.

2. ①

먹는 것을 좋아하는 먹보 다람쥐는 먼저 먹는 다람쥐가 주인이라고 말하며 도토리를 삼켜 버렸어요. 그러므로 결국 도토리를 먹은 다람쥐는 먹보 다람쥐예요.

> 핵심 요약에 체크해 보세요.

[□식물들 / ☑동물들]을 사람인 것처럼 표현하여 교훈이나 깨달음을 주는 [□동시 / ☑동화]입니다.

편지글　　　문제 ③～⑤

보고 싶은 삼촌께

삼촌, 어떻게 지내고 계세요? 지난번 편지 받고 별일 없이 잘 지내고 계시다는 거 알았어요. 삼촌, 저도 건강히 잘 지내고 있어요. 또 아빠 엄마 말씀도 잘 듣고요.

삼촌께서 보내 주신 장갑을 끼고 얼마나 기뻐했는지 몰라요. 그래서 이렇게 삼촌께 감사의 편지를 쓰는 거예요. 삼촌께서 장갑을 선물해 줬다고 ㉠친구들이 무척 저를 부러워해요. 엄마도 저에게 장갑을 사 주려고 했는데 삼촌이 미리 알고 사 보내 주셨다면서 아주 좋아하셨어요.

삼촌 사랑해요. ㉡삼촌이 장갑을 사 줬다고 이런 말씀 드리는 거 아니에요. 항상 저를 아껴 주시고 저의 마음을 잘 알아주셔서 저는 정말 삼촌이 좋아요. 제가 삼촌을 얼마나 사랑하고 있는지 삼촌이 더 잘 알고 계실 거예요.

그럼 오늘은 이만 줄일게요. 안녕히 계세요.

○월 ○○일　　조카 수진 올림

3. ③

이 편지에서는 받는 사람인 삼촌에게 안부만 물었을 뿐 첫인사는 하지 않았어요.

4. 삼촌, 장갑

친구들이 나를 부러워하는 이유는 삼촌께서 나에게 따뜻한 장갑을 선물해 주셨기 때문이에요.

5. 께서, 주셨다

삼촌은 높임의 대상이므로 '이'를 '께서'로, '줬다고'를 '주셨다고'로 바꿔야 해요.

> 핵심 요약에 체크해 보세요.

수진이가 삼촌에게 선물을 받아서 [□미안함 / ☑감사함]과 사랑하는 마음을 담아 쓴 [☑편지글 / □기행문]입니다.

설명하는 글   문제 ⑥~⑨

1 책을 빌리기 위해서는 먼저 내가 빌리고자 하는 책이 우리 도서관에 있는지 찾아봐야겠죠? 자료실에서 무작정 책을 찾고자 한다면, 수많은 책 속에서 내가 원하는 책을 찾기란 쉽지 않을 거예요. 그럼 어떻게 해야 할까요? 우선 도서관 컴퓨터를 통해 '책 찾기'를 해야 해요. 다음의 설명에 따라 천천히 한번 체험해 보세요. 아마 쉽게 익힐 수 있을 거예요.

2 8-② 첫 번째는 도서관에 있는 컴퓨터에서 '책 찾기'를 합니다. 검색창에 찾고자 하는 책의 제목을 입력한 후 검색 버튼을 누르면 우리 도서관에 있는 책 제목이 나타납니다. 그러므로 내가 찾고자 하는 책에 대한 대강*의 정보를 알고 있어야 합니다.

3 8-③ 두 번째는 검색 결과를 확인합니다. 간략* 정보 화면에서 책 제목을 누르면 찾는 책의 자세한 정보를 볼 수 있어요. 상세 정보 화면에서는 찾는 책에 대한 '소장* 정보'를 확인할 수 있어요. '소장 정보'에서는 책의 등록 번호, 도서 상태, 소장처*, 반납 예정일 등을 알 수 있어요. 도서 상태는 '대출* 중' 또는 '대출 가능' 등의 정보를 보여 주는 거예요.

4 8-④ 세 번째는 찾을 책의 청구* 기호를 적습니다. 찾은 책이 '대출 가능'으로 되어 있다면 그 책의 '청구 기호'와 '소장처'를 메모합니다.

5 8-① 네 번째는 서가에서 책을 직접 찾습니다. 내가 찾고자 하는 책에 대한 소장처를 확인한 후 그 자료실로 갑니다. 직접 서가에서 책을 찾아야 하는데, 이때 '청구 기호'는 책의 정확한 위치를 나타내는 책을 빠르고 쉽게 찾을 수 있게 도움을 줍니다.

* **대강**: 대충.   * **간략**: 간단하고 짧막한.   * **소장**: 간직하여 둠.   * **소장처**: 소장하고 있는 곳.
* **대출**: 책이나 물건 따위를 빌려 줌.   * **청구**: 책이나 물건을 달라고 요구함.   * **서가**: 문서나 책을 꽂아 두도록 만든 선반.

핵심 요약에 체크해 보세요.

[□박물관 / ☑도서관]에서 책을 찾는 방법을 순서대로 [□주장하는 / ☑설명하는] 글입니다.

6. ④

3문단에서 '소장 정보'에서는 책의 등록 번호, 도서 상태, 소장처, 반납 예정일 등을 알 수 있다고 하였어요.

7. ①

5문단에서 '청구 기호'는 책의 정확한 위치를 나타내므로 책을 빠르고 쉽게 찾을 수 있게 도움을 준다고 하였어요.

8. ①

도서관에서 책을 빌리려면 첫 번째는 컴퓨터에서 '책 찾기'를 하고 두 번째는 검색 결과를 확인한다고 하였어요. 세 번째는 찾을 책의 청구 기호를 적는다고 하였고, 네 번째는 서가에서 책을 직접 찾는다고 하였어요.

9. ②

도서관에서 책을 빌리는 방법을 순서대로 설명하고 있는 글입니다. 그러므로 이 글을 읽은 사람은 도서관에서 책을 빌릴 때 도움을 받았을 거예요.

토론 　문제 ❶～❷

사회자: 오늘은 '어른에게 존댓말을 반드시 써야 한다.'라는 주제로 토론을 해 보도록 하겠습니다. 찬성 측부터 말씀해 주세요.

승　헌: 저는 존댓말을 반드시 써야 한다고 생각합니다. 우리나라는 예로부터 예의를 중요하게 여겼습니다. 존댓말을 쓰면 부모님이나 선생님 같은 어른들에 대한 예의를 지킬 수 있게 됩니다. 존댓말을 쓰지도 않으면서 웃어른에게 예의를 지킨다는 것은 생각과 말이 같지 않은 모습이라고 할 수 있습니다. 　존댓말을 써야 한다는 승헌이의 의견과 이유.

선　우: 저도 우리나라가 예의를 중요하게 생각해 왔다는 것에는 동의합니다. 하지만 존댓말은 너무 복잡해서 외국인들도 헷갈려 합니다. 저는 존댓말을 쓰지 않더라도 행동으로 예의를 지키고 남을 존중하면 된다고 생각합니다. 또 존댓말을 쓰면 서로 친해지기도 어렵습니다. 그러므로 저는 존댓말을 반드시 쓸 필요는 없다고 생각합니다. 　존댓말을 쓰는 것을 반대하는 선우의 의견과 이유.

 핵심 요약에 체크해 보세요.

'어른에게 [☑존댓말 / ☐줄임말]을 반드시 써야 한다.'를 주제로 진행한 [☑토론 / ☐광고]입니다.

1. ①

승헌이는 존댓말을 반드시 써야 한다면서 우리나라는 예로부터 예의를 중요하게 여겼는데, 존댓말을 쓰면 어른들에 대한 예의를 지킬 수 있게 된다고 하였어요.

2. ④

민재는 할아버지께 반말을 사용하고 있어요. 그러므로 승헌이는 민재의 말을 부정적으로 볼 것이고, 선우는 민재의 말을 긍정적으로 볼 거예요. 그러므로 승헌이는 존댓말을 쓰지 않은 민재의 말은 할아버지를 공경하는 마음이 나타나지 않았다고 말할 수 있을 거예요.

전기문 　문제 ❸～❹

　1593년, 권율 장군은 행주산성에서 왜군과의 전투를 준비했습니다. 명나라 군대가 왜군에게 패하고 평양으로 돌아갔기 때문에 전세는 그다지 좋지 않았습니다.

　의병장 김천일이 의병*을 이끌고 행주산성으로 들어왔지만 정규* 병력*은 3000명이 되지 않았습니다. 더구나 행주산성은 앞쪽만 뚫려 있고 뒤에는 한강이 흐르고 있으므로 물러설 곳도 없었습니다.

　"왜군이다! 모두 싸울 준비를 해라!"

　드디어 3만 명이나 되는 왜군이 물밀 듯이 밀려왔습니다. 권율 장군은 침착함을 잃지 말라며 군사들에게 화살을 쏘게 했습니다. 이어 성으로 올라오려는 왜군을 향해 돌을 던지거나 뜨거운 물을 쏟아붓게 했습니다.

　훈련을 받은 병사는 물론 자발적으로 전투에 참여한 민간인 의병과 승려*, 그리고 성 안의 백성들은 온 힘을 다해 왜군을 공격했습니다. 그 결과 왜군은 1만 명 이상이 죽거나 다치는 피해를 입고 물러갔습니다. 이른바 행주 대첩은 조선의 승리로 끝났습니다. 　병사들뿐만 아니라 의병, 승려, 백성들이 협동하여 승리를 하게 된 행주 대첩.

＊**의병:** 백성들이 자발적으로 조직한 군대. 　＊**정규:** 규정에 맞는 정상적인 상태.
＊**병력:** 군대의 인원, 숫자. 　＊**승려:** 스님.

 핵심 요약에 체크해 보세요.

행주산성에서 [☐강감찬 장군 / ☑권율 장군]과 김천일을 비롯한 의병, 승려, 성 안의 백성들이 힘을 합쳐 왜군을 무찌른 이야기를 담은 [☑전기문 / ☐기행문]입니다.

3. ②

조선을 도와 주려 온 명나라 군대는 왜군에게 패해서 평양으로 돌아갔다고 하였어요.

4. ①

행주 대첩은 병사들뿐만 아니라, 민간인 의병과 승려, 성 안의 백성들이 모두 함께 협동하여 싸워서 왜군으로부터 승리한 전투입니다.

주장하는 글　문제 ❺~❾

1 우리는 좋은 습관을 길러야 합니다. 작은 습관이 모여 결국은 큰 변화를 만들기 때문입니다. 습관이란 어떤 행동을 오랫동안 되풀이하면서 저절로 몸에 익은 행동 방식을 말합니다. 예를 들면 꾸준히 일기를 쓴다든가 말을 바르고 곱게 하는 것, 몸을 깨끗이 잘 씻는 것 따위는 작지만 좋은 습관입니다. 그러면 좋은 습관이 무엇인지 알아보고, 왜 좋은 습관을 기르려고 노력해야 하는지를 알아보겠습니다. <small>좋은 습관을 길러야 한다는 글쓴이의 주장 제시.</small>

2 첫째, 약속을 잘 지키는 습관을 길러야 합니다. 약속은 자신이나 다른 사람과 어떤 일을 지키기로 다짐한 것이기 때문입니다. 우리는 살면서 약속을 자주 합니다. 약속을 잘 지키면 주변 사람들에게 믿음을 줄 수 있습니다. 그리고 사람들과 사이도 좋아집니다. 이처럼 약속을 잘 지키는 것은 기본적인 예절이므로, 약속을 잘 지킬 수 있도록 노력해야 합니다. <small>좋은 습관 1: 약속을 잘 지키는 습관을 기르자.</small>

3 둘째, 날마다 운동하는 습관을 길러야 합니다. 날마다 운동을 하면 몸과 마음이 건강해지기 때문입니다. 아침 일찍 일어나 달리기나 줄넘기 같은 운동을 하면 하루를 활기차게 시작할 수 있습니다. 그리고 그날 무엇을 할지 생각해 보는 여유도 생깁니다. 이처럼 날마다 운동을 하면 우리 생활에 많은 도움이 되므로, 날마다 운동하는 습관을 기르도록 노력해야 합니다. <small>좋은 습관 2: 날마다 운동하는 습관을 기르자.</small>

4 셋째, 고마워하는 마음을 표현하는 습관을 길러야 합니다. 작은 일에도 고마워하는 마음을 표현하면 주변 사람과 자기 자신 모두를 행복하게 만들 수 있기 때문입니다. 맛있는 음식을 먹을 수 있고, 안전한 곳에서 잠을 잘 수 있는 것처럼 우리에게는 고마워할 일이 참 많습니다. 그러므로 작은 일에도 고마워하는 마음을 표현하는 습관을 길러야 합니다. <small>좋은 습관 3: 고마워하는 마음을 표현하는 습관을 기르자.</small>

5 습관은 우리 삶에서 아주 중요한 역할을 합니다. 어떤 행동을 자주 하다 보면 습관이 되어 우리 삶을 바꿀 수 있습니다. 자신의 삶을 발전시키는 좋은 습관이 있는가 하면 좋지 않은 습관도 있습니다. 우리 모두 좋은 습관을 기를 수 있도록 꾸준히 노력합시다. <small>좋은 습관의 장점과 계속 노력해야 함을 당부.</small>

5. 습관
1문단에서 '습관'이란 어떤 행동을 오랫동안 되풀이하면서 저절로 몸에 익은 행동 방식을 말한다고 하였어요.

6. ④
글쓴이는 5문단에서 우리는 좋은 습관을 기르려고 꾸준히 노력해야 한다고 하였어요.

7. ④
1문단에서 일기를 쓰는 것, 말을 바르고 곱게 하는 것, 몸을 깨끗이 잘 씻는 것이 좋은 습관이라고 하였어요. 거짓말을 하는 것은 좋은 습관이라고 볼 수 없어요.

8. ②
2문단에서 약속을 잘 지키는 습관을 기르자면서 약속을 잘 지키면 주변 사람들에게 믿음을 줄 수 있고 사람들과 사이도 좋아진다고 하였어요.

9. ①
서진이는 매일 도서관에 가서 책을 한 권씩 읽는 좋은 습관을 갖고 있습니다. 하지만 책을 읽을 때마다 손톱을 물어뜯는 나쁜 습관도 가지고 있습니다.

 핵심 요약에 체크해 보세요. 좋은 [✔습관 / □생각]을 길러야 한다고 [✔주장하는 / □설명하는] 글입니다.

"전기문의 구성 방식"

 알아두면 도움이 돼요!

　전기문은 인물의 전 생애를 다룰 수도 있고, 특정한 시기나 사건만을 다룰 수도 있어요. 또한 전기문은 그 구성 방식에 따라 '일대기적 구성'과 '집중적 구성'으로 나눌 수 있어요. '일대기적 구성'으로 쓴 전기문은 인물의 출생부터 사망까지 전 생애를 다루는 것을 말해요. '집중적 구성'으로 쓴 전기문은 인물의 생애 중에서 특정한 시기나 중요한 사건만을 다루는 것을 말해요.

설명하는 글 　문제 ❶~❷

지구가 둥근데 우리가 떨어지지 않는 이유는 지구의 중력 때문이에요. 중력이란 지구의 중심에서 나오는 아주 강한 힘인데, 사람도, 물건도, 바다도 모두 지구 중심으로 끌어당겨요. 그래서 우리는 지구 위에 꼭 붙어서 떨어지지 않는 거랍니다. 지구가 둥근데 우리가 떨어지지 않는 이유.

그리고 지구는 우주 공간에 덩그러니 떠 있어요. 우주에 떠서는 한시도 쉬지 않고 태양 주위를 빙빙 돌고 있지요. 아래로 떨어지지 않고 우주 공간에 떠서 돈다니 신기하지요? 태양은 아주 강한 중력으로 지구를 끌어당기고 있어요. 하지만 지구는 매우 빠르게 태양 주위를 돌기 때문에 태양으로부터 튕겨 나가려는 원심력을 가지고 있답니다.

한마디로 태양이 지구를 끌어당기는 힘과 지구가 태양으로부터 떨어져 나가려는 힘이 서로 팽팽하게 맞서고 있는 거지요. 그러다 보니 지구가 태양 쪽으로 확 끌려가지도 않고, 지구가 태양으로부터 멀어지지도 않고 우주 공간에 떠 있을 수 있는 거랍니다. 지구가 우주에 떠 있는 이유.

1. 중력
첫 번째 대답에서 중력이란 지구의 중심에서 나오는 아주 강한 힘인데, 우리는 중력 때문에 지구 위에 붙어서 떨어지지 않는 것이라고 하였어요.

2. ③
그림은 지구가 우주에 떠 있는 상태로 태양을 돌고 있는 것을 나타내고 있습니다. 지구가 우주에 떠 있을 수 있는 이유는 태양이 지구를 끌어당기는 힘과 지구가 태양으로부터 떨어져 나가려는 힘이 서로 팽팽하게 맞서 있기 때문이라고 하였어요. 그러므로 지구가 태양에서 점점 멀어지고 있다고 볼 수는 없어요.

핵심 요약에 체크해 보세요.

[□바다 / ☑지구]가 우주 공간에 떠 있는 이유와 우리가 둥근 지구 위에 서 있을 수 있는 이유에 대해 [☑설명하는 / □광고하는] 글입니다.

회의 기록문 　문제 ❸~❹

봄맞이 환경 미화*를 위한 준비 회의가 3월 25일 교실에서 학급 인원 21명 모두가 참석한 가운데 열렸다. 4-④ 반장이 진행을 맡아 봄맞이 환경 미화라는 안건*을 가지고 토의를 했다. 토의 사항으로는 첫째, 게시판 새로 꾸미기, 둘째, 청소 열심히 하기, 셋째, 교실이 봄 분위기가 날 수 있게 만들기 등의 의견이 나왔다. 봄맞이 환경 미화를 위한 회의의 시작.

이렇게 제시된 의견을 모둠별로 분담하여* 역할을 맡기로 했다. 역할 맡기에 대한 자세한 내용으로 1모둠은 게시판 새로 꾸미기, 2모둠은 교실이 봄 분위기가 나도록 만들기, 4-③ 3모둠은 교실과 복도 청소하기로 정해졌다. 제시된 의견을 모둠별로 분담하기로 정함.

또한 각 모둠의 대표가 책임자가 되어 정해진 역할이 잘 진행되도록 모둠별로 자세한 방법을 생각해 보기로 했다. 1모둠에서는 게시판의 그림을 봄과 어울리도록 4-② 새로운 그림으로 바꾸기로 했다. 2모둠에서는 작은 화분을 가져와 교실에 놓고, 봄볕이 교실에 잘 들어오게 유리창을 깨끗이 닦기로 했다. 3모둠에서는 교실과 복도 벽면의 얼룩이나 때를 말끔히 지우고, 교실 바닥을 청소하고 책걸상까지 깨끗이 닦 4-① 기로 했다. 그런데 3모둠은 할 일이 너무 많아서 1모둠에서 게시판 꾸미기를 빨리 마무리 한 후 도와주기로 했다. 모둠별 분담 내용의 구체적 기록.

4-④ 기록자 3학년 2반 부반장 김민지

3. 환경 미화
1문단에서 봄맞이 환경 미화를 위한 준비 회의를 했다고 하였어요.

4. ④
1문단에서 반장이 진행을 맡았다고 하였어요. 또 마지막 부분의 기록자에는 3학년 2반 부반장 김민지라고 하였어요.

핵심 요약에 체크해 보세요.

학생들이 봄맞이 환경 미화를 위해 서로의 [☑의견 / □물건]을 주고받은 회의 내용을 쓴 [□광고문 / ☑회의 기록문]입니다.

* 미화: 아름답게 꾸밈.
* 안건: 토의하거나 조사해야 할 사실.
* 분담하다: 나누어서 맡다.

전기문   문제 ❺~❽

전쟁을 겪으면서 백성들의 생활은 어려워졌어요. 논과 밭이 훼손되어* 많은 사람들이 굶주려야 했지요. 상처를 입은 사람도 많았고, 역병*이 돌아 많은 사람들이 죽었어요.

그 당시 우리나라에는 제대로 된 의학 책이 없었어요. 의원들은 중국에서 건너온 의학 책을 참고하여 환자를 치료했고, 약재의 이름이나 병명 등이 모두 중국어로 되어 있어서 의원들조차 잘 이용할 수 없었어요. 그래서 ㉠선조는 허준에게 명을 내려 우리에게 맞는 의학 책을 만들도록 했어요. 그것이 오늘날까지 높게 평가받고 있는 『동의보감』이 시작되는 순간이었어요. 동의보감의 시작.

허준은 양반집의 서자*로 태어났어요. 서자였지만 좋은 교육을 받았고 영리하여* 글공부 실력도 뛰어났어요. 그런데 허준이 의학을 공부하게 된 배경에 대해서는 정확히 알려진 사실이 없어요. 다만 의학을 공부하여 높은 양반 병을 치료하였고, 그 양반의 추천으로 내의원*에 들어 간 것으로 알려져 있어요. 내의원으로 들어가게 된 허준.

허준은 임진왜란 당시 선조가 의주로 피난*을 갈 때도 선조의 곁을 지켰으며, 광해군의 병을 치료하여 높은 벼슬까지 올라갔어요. 하지만 허준은 선조가 죽고 나서 귀양*을 갈 수밖에 없었어요. 그러나 허준은 70세에 가까운 많은 나이였음에도 『동의보감』을 완성하기 위해 노력했어요. 15년이라는 오랜 세월 동안 중국의 다양한 의학 책을 기준으로 그가 알고 있는 모든 병의 증상과 치료법을 하나하나 기록해 나갔어요. 1596년 선조의 명령을 받고 쓰기 시작한 『동의보감』은 1610년 광해군 2년에야 완성되었어요. 모두 25권이나 되는 『동의보감』은 지금까지도 그 가치를 높이 인정받고 있어요. 귀양을 가서 동의보감을 완성한 허준.

* **훼손되다:** 헐리거나 깨져 못 쓰게 되다.   * **역병:** 집단적으로 생기는 전염병.
* **서자:** 첩에게서 태어난 아들.   * **영리하다:** 눈치가 빠르고 똑똑하다.
* **내의원:** 조선 시대 삼의원 중 하나로, 궁 안에서의 의약을 맡아보던 관청.
* **피난:** 재난을 피해 멀리 옮겨 감.
* **귀양:** 조선 때, 죄인을 먼 시골이나 섬으로 보내어, 일정한 기간 그 지역에서만 살게 하던 벌.

5. 동의보감

허준은 선조의 명으로 중국의 다양한 의학 책을 기준으로 그가 알고 있는 모든 병의 증상과 치료법을 하나씩 기록하여 우리에게 맞는 의학서인 동의보감을 완성했어요.

6. ④

4문단에서 허준은 중국의 다양한 의학 책을 기준으로 그가 알고 있는 모든 병의 증상과 치료법을 하나하나 기록했다고 하였어요.

7. ②

2문단에서 우리나라에는 제대로 된 의학 책이 없었다고 하였어요.

8. ②

3문단에서 허준은 양반집의 서자로 태어났지만 글공부 실력이 뛰어났다고 하였어요. 또 높은 양반의 병을 치료하여 그 양반의 추천으로 내의원에 들어간 것으로 알려져 있다고 하였어요.

핵심 요약에 체크해 보세요.

오늘날까지도 그 가치를 높이 인정받고 있는 의학 책인 [☐경국대전 / ✔동의보감] 을 쓴 허준의 이야기를 담은 [☐기행문 / ✔전기문]입니다.

매체 자료   문제 **①~②**

자, 화면을 보시죠.

선생님: 나라마다 나라를 대표하는 동물이 있대요. 미국을 대표하는 동물은 누구일
까요?

수 리: 바로 나! 흰머리 독수리예요. 내 모습이 힘과 용기를 보여 준다고 해서 미
국의 대표 동물로 뽑혔죠. 하하하.

선생님: 이번에는 캐나다로 가볼까요?

비 버: 영차, 영차. 나예요. 비버! 내가 캐나다를 대표하는 동물이에요. 캐나다 동
전에도 내 모습이 새겨져 있다고요, 히히.

선생님: 자, 이번에는 영국의 대표 동물을 만나 보러 출발!

사 자: 동물의 왕, 사자! 난 영국의 대표 동물이죠. 멋진 모습 덕분에 대표 동물이
되었어요.

선생님: 자, 이제 마지막! 우리나라 대한민국의 대표 동물이 무엇인지 알고 있나요?

호랑이: 어흥, 놀랐죠? 대한민국의 상징은 바로 나 호랑이에요. 강하고 용감한 모습
을 나타내기 때문이죠.

핵심 요약에
체크해 보세요.

[□동물원에 사는 / ☑나라를 대표하는] 동물들에 대해 정보를 [☑전달하는 / □광고하는]
내용입니다.

1. ②

호랑이는 대한민국을 상징하는
동물로, 강하고 용감한 모습을
나타낸다고 하였어요.

2. ③

수리, 비버, 사자, 호랑이와 같은
동물들이 자신들이 사람인 것처
럼 스스로를 소개하고 있어요.

동시   문제 **③~④**

동주네 센둥이는 / 동주가 다니는 학교에
언제부턴가 제 자리를 만들었습니다. / 학교 오는 길에 따라왔다   3-①
공부 다 마칠 때까지 / 그곳에서 기다립니다.   센둥이가 학교에 자기 자리를 만들어 동주를 기다림.

이따금 동주가 공부하는 교실에까지 들어와
책상 밑에서 낮잠을 자기도 합니다.   3-②
부끄러움 많은 동주가 / 교문 밖으로 아무리 쫓아 보내려 해도 그때뿐
어느새 자기 자리에 와 있습니다.
선생님들의 고함 소리도 소용이 없습니다.   교실까지 들어오는 센둥이.

친구들에게 밥을 한 숟가락씩   3-③
얻어먹은 센둥이가 어디론가 놀러 갔다
학교 파한 동주보다 앞장서서 집으로 돌아갈 때는
얼마나 늠름한지 모릅니다.
다리를 다쳐 골목길에 쓰러져 있던 / 강아지를 주워다 이렇게 키워 놓은
㉠동주가 엄마처럼 웃으며 뒤따라갑니다.   동주와 함께 즐겁게 집에 가는 센둥이.

핵심 요약에
체크해 보세요.

동주와 [☑개 / □고양이]의 우정을 그린 [□동화 / ☑동시]입니다.

3. ④

3연을 통해 센둥이가 다리를 다
쳐서 골목길에 쓰러져 있던 것을
동주가 주워서 키워 놓았음을 알
수 있어요. 그러나 센둥이가 도
둑을 물리치다 다리를 다쳤는지
는 알 수 없어요.

4. ③

학교가 끝나고 나서 동주보다 앞
장서서 늠름하게 집으로 가는 센
둥이를 보는 동주는 센둥이를 볼
때 엄마처럼 흐뭇한 마음이 들
거예요.

전기문   문제 ⑤~⑨

황희는 자식을 교육하는 방법이 남달랐다고 해요. 한때 황희의 셋째 아들 황수신은 매우 방탕한* 생활을 했어요. 황희는 황수신을 불러 점잖게 타일렀어요.

"애야, 너는 어떤 사람이 참 선비라고 생각하느냐?"

"학문을 갈고 닦아 나라에 도움이 되는 사람입니다."

"그렇게 쓸모 있는 선비가 되려면 어찌해야 하느냐?"

"넓은 마음으로 남의 말에 귀를 기울일 줄 알아야 합니다."

"잘 알고 있구나. 그럼 이 아비의 말에도 귀를 기울여다오. 요즘 네가 학문을 멀리하고 술을 지나치게 마신다고 들었다. 그만 ㉠자제하고 참 선비가 되기 위해 노력하여라."

며칠 후 황수신은 또 다시 술에 취해 비틀거리며 한밤중이 되어서야 집에 돌아왔어요. 대문을 열고 집 안으로 들어서는데 아버지 황희가 관복을 입고 절을 하며 자신을 맞이하고 있지 뭐예요.

"셋째 아드님, 이제 오십니까?"

황수신은 혹시 헛것이 보이는가 싶어 눈을 비볐어요. 하지만 틀림없이 아버지 황희였어요. 황수신은 정신이 번쩍 들었습니다.

"어이쿠, 아버지 왜 이러십니까? 제발 일어나십시오."

"집에 손님이 오셨으니 주인은 옷차림을 바로 하고 맞이하는 것이 예의지요."

"아니, 아버님! 저에게 손님이라니요?"

그러자 황희는 아무렇지 않게 말을 이어갔어요.

"자식이 아비를 진정 부모로 생각한다면 한 번 타일렀을 때 귀담아듣지 않았겠느냐? 네가 나를 부모로 생각하지 않으니, 나도 너를 자식이 아니라 손님으로 대해야겠다."

"아버님! ⟨㉡⟩"

그 후 황수신은 자신의 잘못을 크게 뉘우치고, 훗날 아버지의 대를 이어 정승의 자리까지 올랐어요. 이처럼 황희는 잘못한 일은 스스로 깨우치고 고칠 수 있도록 도와주는 어질고 현명한 선비였답니다.

핵심 요약에 체크해 보세요.

조선 시대의 정승인 황희가 남다르게 [☐손님 / ☑자식]을 키운 이야기를 통해, 황희가 어떤 사람인지를 밝힌 [☐광고문 / ☑전기문]입니다.

5. ②

실제로 있었던 인물인 황희의 이야기를 기록한 전기문입니다.

6. ②

밤새 술에 취한 것은 황희가 아니라 황희의 셋째 아들인 황수신이에요.

7. ③

맨 마지막 부분에서 황희는 잘못한 일은 스스로 깨우치고 고칠 수 있도록 도와주는 어질고 현명한 선비라고 하였어요.

8. ②

'자제하다'는 스스로 참아 다스린다는 의미의 낱말이에요.

9. ①

황수신은 아버지가 자신을 손님이라고 하며 존댓말을 쓰자 잘못을 깨닫게 되었어요. 그러므로 "제가 잘못했습니다."라고 했을 거예요.

* **방탕하다**: 주색잡기에 빠져 행실이 좋지 못하다.

16 일차

동화   문제 ❶~❷

추워서 코가 새빨간 아가가 ⬚ㄱ 전차 정류장으로 걸어 나왔습니다. 그리고 낑낑거리며 안전한 곳에 올라섰습니다. 이내 전차가 왔습니다. 아가는 갸웃하고 차장더러 물었습니다.

"우리 엄마 안 오?" / "너희 엄마를 내가 아니?"

하고 차장은 '땡땡'하면서 지나갔습니다.

또 전차가 왔습니다. 아가는 또 갸웃하고 차장더러 물었습니다.

"우리 엄마 안 오?" / "너희 엄마를 내가 아니?"

하고 이 차장도 '땡땡'하면서 지나갔습니다. 그 다음 전차가 또 왔습니다. 아가는 또 갸웃하고 차장더러 물었습니다.

"우리 엄마 안 오?" / "오! 엄마를 기다리는 아가구나."

하고 이번 차장은 내려와서,

"다칠라. 너희 엄마 오시도록 한 군데만 가만히 섰거라, 응?"

하고 갔습니다.

아가는 바람이 불어도 꼼짝 안 하고, 전차가 와도 다시는 묻지도 않고, 코만 새빨개서 가만히 서 있습니다.

1. 아장아장
'키가 작은 사람이 이리저리 찬찬히 걷는 모양.'을 뜻하는 말은 '아장아장'이에요.

2. ①
아가는 엄마가 타고 있는 전차를 기다리고 있어요. 그러나 아직 엄마가 오시지 않아서 가만히 서서 엄마를 계속 기다리고 있어요.

핵심 요약에 체크해 보세요. [☐아빠 /✔엄마]를 기다리는 아가의 마음을 그린 [✔동화 /☐동시]입니다.

일기   문제 ❸~❺

二○○○년 ○월 ○일, 날씨 흐림

3-① 동생과 함께 병원 놀이를 했다. 내가 먼저 의사를 했다. 3-②

"어디가 아파서 왔어요?"

3-③ "발이 아파서 왔어요."

붕대로 발을 조금 감싸고 테이프를 붙여 주었다. ㉠그랬더니 동생이 하룻밤도 지나지 않았는데 3-④ 벌써 다 나았다고 했다.

내가 그럴 수가 있나 하고 어리둥절해하자 동생이 말했다.

"언니, 이건 병원 놀이잖아. 그러니까 하룻밤 사이에 다 나을 수 있지. 안 그래?"

생각해 보니 동생이 한 말이 맞는 것 같다.

이건 실제 병원이 아니고, 진짜 아픈 것도 아니니까 자기가 생각했을 땐 하룻밤 사이에 다 ㉡낳았다고 할 수 있었다. 오늘따라 동생이 똑똑해 보였다.

3. ③
동생은 발이 아파서 왔다고 했어요.

4. ①
동생은 병원 놀이니까 하룻밤 사이에 다 나을 수 있다고 하였어요.

5. 나았다
'병이나 상처 따위가 고쳐져 본래대로 되다.'는 의미의 낱말은 '낫다'이므로 '나았다'라고 써야 합니다. '낳았다'는 아기를 낳다 라는 뜻이므로 잘못 쓰였어요.

핵심 요약에 체크해 보세요. 동생과 함께 [✔병원 놀이 /☐소꿉놀이]를 한 것을 바탕으로 자신의 생각과 느낌을 적은 [☐편지 /✔일기]입니다.

설명하는 글　문제 ❻~❾

낯선 곳에서 길을 잃은 경험이 있나요? 그때 어떻게 길을 찾았나요? 지나가던 누군가에게 물어보거나 지도를 살펴보고 길을 찾았을 거예요. 책을 읽을 때에도 낱말 지도가 필요해요. 낱말 지도가 뭐냐고요? 바로 국어사전이에요. 글을 읽다가 뜻을 잘 모르는 낱말을 발견했을 때, 국어사전에서 그 낱말의 뜻을 찾으면 글의 내용을 쉽게 이해할 수 있지요. _{낱말의 뜻을 알 수 있게 해 주는 국어사전.}

그런데 수많은 낱말이 모여 있는 국어사전에서 원하는 낱말을 찾으려면 어떻게 해야 할까요?

우선 국어사전에 실리는 낱말의 순서를 알아야 해요. 낱말의 순서를 알기 위해서는 찾고자 하는 낱말의 짜임[*]을 살펴봐야 해요. 낱말의 짜임 순서대로 사전을 찾아야 하거든요. _{낱말의 뜻을 찾는 순서.} _{첫째}

'묻다'라는 글자를 찾아볼까요? '묻다'를 분석해[*] 보면 다음과 같이 이루어진 것을 알 수 있어요.

・묻: ㅁ + ㅜ + ㄷ
・다: ㄷ + ㅏ

_{둘째}

그런 후에 낱말이 짜인 순서대로 사전을 찾아보면 돼요. 가령 첫소리에 있는 자음 순서대로, 가운뎃소리의 모음 순서대로, 끝소리에 있는 자음 순서대로 낱말을 찾으면 돼요. 그리고 사전에는 같은 낱말이라도 뜻이 여러 개가 나와 있어요. 그러므로 문장 속에서 낱말의 앞뒤 관계를 잘 살펴보고 그 중에서 하나를 선택해야 해요. _{셋째} _{국어사전에서 낱말을 찾는 방법.}

책을 읽을 때에는 사전을 옆에 두고 낱말을 찾는 습관을 들여 보세요. 사전을 통해 낱말 찾기 방법을 익히고 습관화시킨다면 어휘력이 쑥쑥 올라갈 거예요! _{국어사전을 활용할 때 이로운 점.}

ㄱㄴㄷㄹㅁㅂㅅ
ㅇㅈㅊㅋㅌㅍㅎ
ㅑㅕㅗㅛ
ㅜㅠㅡ

* **짜임**: 조직이나 구성.　　* **분석하다**: 복잡한 것을 풀어서 나누다.

---

6. ④

국어사전에서 낱말의 뜻을 찾는 방법을 설명하고 있는 글입니다.

7. ④

국어사전에서 낱말 뜻을 찾을 때는 먼저 낱말의 짜임을 분석한 후, 낱말이 짜인 순서대로 첫소리, 가운뎃소리, 끝소리에 있는 자음이나 모음의 순서대로 낱말을 찾아야 한다고 하였어요. 그리고 나서 여러 개의 뜻 중 알맞은 뜻을 골라야 해요.

8. ①

책을 읽을 때 사전을 옆에 두고 찾는 습관을 들이면, 어휘력이 쑥쑥 올라갈 것이라고 하였어요.

9. ①

첫소리에 있는 자음 중에 가장 먼저 나오는 것은 'ㄱ'이므로, '가방'과 '국어'가 국어사전의 앞부분에 있을 거예요. 가운뎃소리인 'ㅏ'와 'ㅜ' 중에 'ㅏ'가 먼저 나오므로, 제시된 낱말 가운데 국어사전에서 가장 먼저 나오는 낱말은 '가방'이에요.

 핵심 요약에 체크해 보세요.

[□영어 사전 / ☑국어사전]에서 낱말의 뜻을 찾는 방법을 [□광고하는 / ☑설명하는] 글입니다.

주장하는 글 문제 ❶~❷

저는 우리 학교 도서관의 책 대출 기간을 연장*해야 한다고 생각합니다. 현재 우리 학교 도서관의 책 대출 기간은 5일입니다. 그런데 5일은 책을 빌려서 읽기에는 조금 부족한 시간입니다. 우리는 공부도 해야 하고, 과제도 해야 하며, 집안일도 도와야 합니다. 이런 일들을 하면서 5일 안에 책을 다 읽으려니 시간이 부족합니다. 대출 기간을 조금 더 늘려 주어야 학생들이 여유 있게 책을 읽을 수가 있습니다.

주변 도서관을 조사해 보니, 우리 학교 도서관처럼 대출 기간이 5일인 곳은 없었습니다. 우리 학교 도서관 외에, 동네 어린이 도서관과 이웃 초등학교의 도서관은 대출 기간이 1주일입니다. 이처럼 우리 학교 도서관도 대출 기간을 1주일 정도로 늘렸으면 합니다. 지금보다 2일 정도 시간을 더 준다면, 학생들이 조금 더 천천히 책을 읽을 수 있을 것입니다. 따라서 현재 5일인 대출 기간을 7일로 연장했으면 좋겠습니다.

* 연장: 시간이나 거리 따위를 본래보다 길게 늘림.

핵심 요약에 체크해 보세요.

학교 도서관의 책 [☑대출 / ☐판매] 기간을 5일에서 1주일로 연장해야 한다고 [☑주장하는 / ☐안내하는] 글입니다.

1. ②

1문단의 네 번째 문장에서 '우리는 공부도 해야 하고, 과제도 해야 하며, 집안일도 도와야 합니다.'라고 하였어요. 그리고 다섯 번째 문장에서 '이런 일들을 하면서 5일 안에 책을 다 읽으려니 시간이 부족합니다.'라고 했지요.

2. ③

2문단에는 글쓴이는 주변 도서관인 '동네 어린이 도서관'과 '이웃 초등학교 도서관'의 대출 기간을 조사한 내용이 나오지요. 이곳들의 대출 기간이 1주일인 것을 참고로 해서, 우리 학교 도서관도 대출 기간을 1주일로 늘리자고 말하는 것이에요.

독서 감상문 문제 ❸~❹

오늘 읽은 『길 아저씨 손 아저씨』는 권정생 작가의 작품입니다. 엄마께서는 권정생 선생님이 동화를 무척 아름답게 쓰셨는데, '강아지 똥', '몽실 언니' 등을 쓰신 분이라고 알려 주시며 책을 읽어 보라고 하셨습니다. '길 아저씨 손 아저씨'의 내용은 이렇습니다.

어릴 적부터 두 다리가 불편한 길 아저씨와, 두 눈이 보이지 않는 손 아저씨가 살았습니다. 두 사람은 부모님의 보살핌 속에서 살았는데 부모님이 돌아가시자 아무 것도 할 수가 없었습니다. 어느 날 손 아저씨가 구걸을 하러 다니다 우연히 동네 할머니에게서 길 아저씨의 이야기를 듣게 되었고, 손 아저씨는 길 아저씨를 찾아갔습니다. 두 사람은 금세 마음이 통해 서로 도우며 살기로 했습니다. 손 아저씨는 길 아저씨를 업고 다니며 다리 역할을 했고, 길 아저씨는 손 아저씨에게 업혀 다니며 눈 역할을 했습니다. 처음에는 두 사람이 구걸을 하며 살았지만, 나중에는 힘든 일도 부지런히 하여 남에게 기대지 않고 사이좋게 오래오래 행복하게 살았다는 이야기입니다. 이 책을 통해 좌절하지 않고 서로 도우며 어려움을 극복한 길 아저씨와 손 아저씨의 지혜를 배울 수 있었습니다.

핵심 요약에 체크해 보세요.

『길 아저씨 손 아저씨』에 대한 [☐엄마 / ☑나]의 생각과 느낀 점을 적은 [☑독서 감상문 / ☐기행문]입니다.

3. ④

이 글에서 글쓴이가 장애인을 안타깝게 여기고 도와주는 마음을 갖자고 생각하는 내용은 찾을 수 없어요.

4. ①

글쓴이는 이 책을 통해 서로 도우며 어려움을 극복한 지혜를 배울 수 있었다고 했습니다.

설명하는 글   문제 ⑤~⑧

생활 속에서 쉽게 할 수 있는 운동에 관심이 많아지면서 예전에 볼 수 없던 운동이 많이 늘어나고 있습니다. 이 운동 가운데에는 새로 만든 운동도 있고, 외국에서 예전부터 즐겼지만 우리나라에는 늦게 들어온 운동도 있습니다. 그리고 우리나라 전통 놀이를 새롭게 바꾸어 만든 운동도 있습니다. 새로 만든 운동이 늘어나고 있음.

새로 만든 운동으로는 ㉠스포츠 스태킹이 있습니다. 스포츠 스태킹은 1980년대에 미국 어린이들이 종이컵으로 하던 놀이에서 생겨난 운동입니다. 이 운동을 할 때는 컵 열두 개를 다양한 방법으로 ㉮쌓고 허무는* 기술과 속도가 중요합니다. 이 운동을 하면 근육을 사용하는 능력을 기를 수 있고 집중력을 높일 수 있습니다. 새로 만든 운동 1 - 스포츠 스태킹.

외국에서는 예전부터 즐기던 것인데 최근에 우리나라에 들어온 운동으로는 ㉡슐런이 있습니다. 슐런은 네덜란드에서 즐기던 것인데, 슐박이라는 놀이판 끝에 있는 관문 네 곳에 나무 원반 30개를 밀어서 넣는 운동입니다. 점수가 높은 사람이 이기는데, 관문마다 점수가 다릅니다. 원반을 네 곳에 골고루 넣으면 추가 점수가 있으므로 한 곳에 몰아넣는 것보다 높은 점수를 얻을 수 있습니다. 슐런은 규칙이 간단해서 누구나 쉽게 배울 수 있으며, 손힘을 조절하는 능력을 기를 수 있고 집중력을 높일 수 있는 운동입니다. 새로 만든 운동 2 - 슐런.

우리나라 전통 놀이를 새롭게 바꾸어 만든 운동에는 한궁이 있습니다. 한궁은 우리나라 전통 놀이인 투호*와 외국의 다트를 합쳐서 만든 운동입니다. 자석 한궁 핀을 표적판에 던져 높은 점수를 얻는 사람이 이기며, 왼손과 오른손으로 각각 다섯 번씩 던져야 하기 때문에 양손 근육을 골고루 발달시킬 수 있습니다. 새로 만든 운동 3 - 한궁.

이런 새로운 운동들은 좋은 점이 많습니다. 규칙이 간단해 쉽게 배울 수 있고, 특별한 운동 기술이 없어도 누구나 즐길 수 있습니다. 또 많은 시간과 넓은 공간이 필요하지 않기 때문에 생활 속에서 틈틈이 즐길 수도 있습니다. 새로 만든 운동들의 좋은 점.

 핵심 요약에 체크해 보세요. 생활 속에서 쉽게 할 수 있는 [□전통 놀이 / ☑새로운 운동]의 종류와 운동 방법, 좋은 점 등을 [☑설명하는 / □광고하는] 글입니다.

5. ③
3문단에서 슐런은 외국에서는 예전부터 즐기던 것인데 최근에 우리나라에 들어온 운동이라고 했어요.

6. ①
2문단에서 스포츠 스태킹을 하면 근육을 사용하는 능력을 기를 수 있고 집중력을 높일 수 있다고 하였어요. 3문단에서 슐런을 하면 손힘을 조절하는 능력과 집중력을 높일 수 있다고 하였어요.

7. ④
5문단에서 새로운 운동들은 규칙이 간단해서 쉽게 배울 수 있고, 특별한 운동 기술이 없어도 누구나 즐길 수 있다고 하였어요. 또 많은 시간과 넓은 공간이 필요하지 않아서 생활 속에서 틈틈이 즐길 수 있다고 하였어요.

8. 올려놓고
'쌓다'는 '물건을 겹겹이 포개어 올려놓다.'를 의미하는 낱말이에요.

* 허물다: 쌓인 것을 헐어서 무너지게 하다.
* 투호: 화살을 던져 병 속에 많이 넣는 수효로 승부를 가리는 놀이.

"독서 감상문"

 알아두면 도움이 돼요!

'독서 감상문'은 보통 다음 세 가지 내용으로 쓰면 좋아요.
1. 동기: 책을 읽게 된 이유나 책을 읽기 전 기대감을 함께 적어 두면, 읽은 후의 감상과 연결하여 더 풍부한 독서 감상문을 쓸 수 있습니다.
2. 줄거리: 이야기의 틀을 간단히 적어 두면, 나중에 책의 내용이 기억나지 않을 때 감상문만 읽고도 책의 내용을 떠올릴 수 있게 됩니다.
3. 감상: 가장 중심이 되는 부분으로, 감상문의 형식을 결정짓는 중요한 요소가 됩니다.

설명하는 글 문제 ❶~❷

그리스의 과학자 아르키메데스는 왕에게서 새 왕관이 순금으로 만들어졌는지 확인하라는 명령을 받았어요. 아르키메데스는 하루 종일 그 생각을 하느라 밥도 제대로 먹을 수 없었어요. 너무나 피곤했던 아르키메데스는 커다란 나무통에 뜨거운 물을 받아 놓고 목욕을 하기로 했어요. 뜨끈한 물속에 몸을 푹 담그자, 나무통 밖으로 물이 흘러넘쳐 바닥이 온통 물바다가 되었지요. 그 모습을 본 순간, 아르키메데스의 머리에 어떤 생각이 떠올랐어요. 목욕을 하다가 방법을 떠올림.

"유레카! 유레카!"

아르키메데스는 벌거벗은 채 나무통을 빠져나와 거리로 뛰어나갔어요. '유레카'란 '발견했다.'라는 뜻으로, ㉠왕관이 순금인지 밝혀낼 수 있는 방법을 찾아냈다는 것이었지요. 나무통에서 흘러내린 물의 양은 아르키메데스의 몸무게만큼이었어요. 순금이 밀어내는 물의 양과 왕관이 밀어내는 물의 양이 같으면, 왕관이 순금으로 되어 있다는 뜻이 되는 것이었지요. 그 뒤부터 '유레카'라는 말은 갑자기 떠오른 기발*한 생각이나 기술 등을 가리키는 말로 쓰였답니다. '유레카'라는 말의 유래.

아르키메데스가 [✔목욕 / □산책]을 하면서 말한 '유레카'의 의미가 무엇인지 [□광고하는 / ✔설명하는] 글입니다.

1. 유레카

아르키메데스는 목욕을 하다가 '발견했다'라는 뜻의 유레카를 외치며 왕관을 녹이지 않고도 순금인지 밝혀낼 수 있는 방법을 알아냈다고 하였어요.

2. 몸무게, 왕관

나무통에서 흘러내리는 물의 양은 아르키메데스의 몸무게만큼이라고 하였고, 순금이 밀어내는 물의 양과 왕관이 밀어내는 물의 양이 같으면 왕관이 순금으로 되어 있다는 뜻이라고 하였어요.

＊ **기발하다**: 유달리 재치가 뛰어나다.

동화 문제 ❸~❹

어이구, 뭘 찾느라고 이렇게 정신이 없어?"

"미술 숙제로 만든 깡통 로봇이요! 얼마나 열심히 만든 건데……"

"깡통 로봇이라고? 뒷마당에서 우그러진 깡통 조각들을 보긴 했는데, 그거 아니겠지?" 영수는 깜짝 놀라 벌떡 일어섰어요.

"뭐라구요? 엄마, 언제요?"

"엊그젠가…… 재활용품 수거할 때 다 갖다 버렸는 걸……."

영수는 금방이라도 울음을 터뜨릴 듯 울상이 되었어요.

"그건 내 숙젠데…… 누가 갖다 버렸어?"

"네 물건을 누가 갖다 버리니? 제 물건 제가 간수 안 한 게 잘못이지!"

영수는 태연히 아침밥을 먹고 있는 동생에게 물었어요.

"너… 솔직히 말해. 내 미술 숙제 갖고 놀았지?"

"으응… 그게… 나는 그냥 조금 갖고 논 것뿐이야……."

㉠영수는 마침내 울음을 터뜨리며 주저앉아 버렸어요. 그러자 아버지가 말씀하셨어요.

"이 녀석아, 그렇게 중요한 것이면 미리미리 갈무리*를 해 뒀어야지. 누굴 탓하니? 앞으로는 이런 일 없도록 제 물건은 제가 잘 챙겨야 한다!"

[□아빠 / ✔영수]가 미술 숙제를 잃어버리게 된 이야기를 통해 우리에게 깨달음을 주는 [✔동화 / □광고문]입니다.

3. 깡통 로봇

영수가 미술 숙제로 만든 깡통 로봇을 잘 갈무리하지 않았고, 동생이 갖고 놀다가 우그러져서 재활용품을 수거할 때 버리게 되었습니다.

4. ④

이 글에서 영수는 미술 숙제로 만든 깡통 로봇을 간수하지 못해 결국 잃어버리게 되었어요. 이를 통해 자기 물건은 스스로 잘 챙겨야 한다는 교훈을 얻을 수 있어요.

＊ **간수**: 물건 따위를 잘 거두어 보호하거나 보관함.

＊ **갈무리**: 물건 따위를 잘 정리하거나 간수하다.

수필   문제 ⑤∼⑧

한창남은 우리 반에서 가장 인기가 있는 친구인데 우리나라 최초의 비행사인 안창남 아저씨와 이름이 비슷하여 별명이 '비행사'이다. 창남이의 성격은 시원스럽고 유쾌하다. 걱정이 있는 친구에게는 재미난 말로 기분을 풀어 주고, 곤란한 일이 있을 때는 좋은 의견을 내 문제를 해결해 주었다.

창남이네 집은 가난했다. 모자가 다 해어졌고* 바지도 헝겊으로 기워* 입고 다녔다. 하지만 창남이는 남의 것을 부러워하지 않았다.

한 번은 체육 시간에 무서운 체육 선생님이 웃옷을 벗으라고 하자 모두들 벗었는데 창남이만 벗지 않았다.

"넌 왜 웃옷을 안 벗니?"

그러자 창남이의 얼굴이 빨개졌다.

"만년 샤쓰*도 괜찮습니까?"

"웃옷을 벗어라!"

창남이는 할 수 없이 웃옷을 벗었다. 그러자 정말로 맨몸이었다. 선생님은 깜짝 놀라셨고 아이들은 깔깔 웃었다.

"너 왜 외투 안에 아무것도 안 입었니?"

"없어서 못 입었습니다."

㉠이튿날, 창남이는 얇은 웃옷에 해어진 바지를 입고 양말도 안 신고 학교에 왔다. 체육 선생님이 물으셨다.

"너 옷이 왜 그 모양이야?"

"그저께 저녁 저희 동네에 큰 불이 났습니다. 저희 집도 반이나 넘게 탔어요."

"바지는 어제는 입고 있었잖니?"

"네, 저희 집은 반만 타서 물건을 몇 가지 건졌지만 이웃집은 모두 타 버렸습니다. 저희 어머니께서 우리는 집이 있어 추운 것은 면할 수 있으니 입을 것 한 벌씩만 남기고 나머지는 동네 사람들에게 나누어 주자고 하셨습니다. 그래서 ==바지는 어제 옆집의 편찮으신 할아버지께 드렸습니다.== 그리고 저는 가을 바지를 꺼내 입었습니다."

핵심 요약에 체크해 보세요.

힘든 환경 속에서도 다른 사람을 배려하며 살아가는 [☐나 / ☑한창남]의 이야기를 다룬 [☐동시 / ☑수필]입니다.

5. 만년샤쓰

체육 시간에 선생님께서 창남이에게 웃옷을 벗게 하자, 창남이는 아무것도 입지 않은 맨몸인 상태를 '만년샤쓰'라고 말했어요. 창남이가 속에 셔츠를 입지 않은 이유는 창남이가 매우 가난했기 때문이에요.

6. ②

창남이는 맨몸을 부끄러워 하지 않고 당당히 '만년 샤쓰'라고 말하는 것으로 보아 수줍음이 많은 편이라고 보기는 어려워요.

7. ④

창남이는 그저께 저녁 동네에 큰 불이 나서 이웃집이 모두 타버렸기 때문에 바지를 어제 옆집의 편찮으신 할아버지께 드렸다고 하였어요.

8. 수아, 승원

창남이가 맨몸인 상태이지만 당당하게 '만년 샤쓰'라고 말한 점에서 솔직하고 당당한 모습을 본받아야겠다는 생각을 할 수 있어요. 또 창남이가 자기보다 어려운 이웃집 할아버지께 자기가 입던 바지를 주저 없이 드렸다는 점에서 어려운 형편임에도 가진 것을 나누는 자세를 배울 수 있어요.

* 해어지다: 닳아서 떨어지다.
* 깁다: 해진 데에 조각을 대고 꿰매다.
* 샤쓰: 셔츠.

알아두면 도움이 돼요!

"수필"

일상생활 속에서 얻은 생각과 느낌을 형식에 얽매이지 않고 자유롭게 쓴 글을 '수필'이라고 해요. 수필에서는 사람들이 중요하게 관심을 갖고 있는 것뿐만 아니라 아주 개인적인 일 등 무엇이든 소재가 될 수 있어요.

동화   문제 **①~②**

"내일 국어 시간에는 책씻이를 할 테니까 친구들과 나누어 먹을 간식거리를 조금
씩만 가져오세요! 그리고 책씻이가 무엇인지 그 뜻도 알아 오세요!"

"책씻이? 그게 뭐예요? 선생님?"

아이들은 간식거리라는 말은 금방 알아들었지만 '책씻이'라는 말은 알 수가 없었어요.

"책을 씻는다구? 그게 간식거리와 무슨 상관이지?"

영만이는 집으로 돌아오자마자 어머니께 학교에 가져갈 간식을 해 달라고 졸랐
습니다.

"갑자기 웬 간식을 가져간다는 거야?"

"선생님이 책 씻는다고 간식을 먹어야 된대!"

영만이는 어머니께 씩씩하게 말했습니다.

"뭐? 책을 씻어? 아하~ 책씻이?! 너희들도 그런 걸 하는구나?"

"그게 뭔지 알아요, 엄마? 그 뜻을 알아 오는 게 숙제예요."

"책씻이는 옛날 서당의 풍습인데, 책 한 권을 다 끝내면 선생님과 친구들에게 고
마운 마음을 전하기 위해 떡 같은 음식을 함께 나눠 먹는 일을 뜻하는 아름다운
우리말이야. 책거리라고도 하지."

핵심 요약에 체크해 보세요.

[☑책씻이 / ☐간식거리]의 뜻과 유래를 알아 가는 학생들의 이야기를 다룬 [☑동화 /
☐광고문]입니다.

1. 책거리

엄마는 옛날 서당에서 책 한 권
을 다 끝내면 선생님과 친구들에
게 고마운 마음을 전하기 위해
떡 같은 음식을 함께 나눠 먹는
것을 '책씻이'라고 하시며, '책거
리'라고도 한다고 하셨어요.

2. ①

엄마는 책씻이는 책 한 권을 다
끝내고 나서 선생님과 친구들에
게 고마운 마음을 전하기 위해
하는 것이라고 하셨어요.

설명하는 글   문제 **③~④**

동물원에서 동물들을 어떻게 만나야 안전할까요?

첫째, 동물에게 소리를 지르지 않습니다. 철창을 두드리거나 먹이, 돌, 쓰레기
등을 던져서도 안 됩니다. 동물들이 스트레스를 받으면 갑작스럽게 공격적으로 변
하는 등 이상* 행동을 보일 수 있습니다.

둘째, 창살 사이에 머리를 넣지 않습니다. 머리를 넣었다가 끼이면 위험해질 수
있습니다.

셋째, 울타리에 매달리거나 기대지 않습니다. 오래된 울타리의 경우 몸무게를 버
티지 못하고 무너질 수 있습니다.

넷째, 우리* 안에 손을 넣지 않습니다. 동물의 날카로운 이빨에 손등이 긁힐 수 있
습니다. 육식 동물뿐만 아니라 초식 동물도 공격적인 행동을 보일 수 있습니다.

다섯째, 우리 안에 소지품이 떨어지면 반드시 동물원 관리자에게 도움을 요청합
니다. 동물은 낯선 사람이 들어오면 위협*을 느끼고 공격적으로 변합니다.

마지막으로 동물을 만진 후에는 반드시 손을 씻습니다. 동물원에서 관리를 받은 동물
도 세균이나 기생충이 있을 수 있습니다. 집으로 돌아간 후 옷도 꼭 세탁해야 합니다.

핵심 요약에 체크해 보세요.

[☐미술관 / ☑동물원]에 가서 동물들을 안전하게 만나는 방법에 대해 [☐주장하는 /
☑설명하는] 글입니다.

3. ④

동물들을 구경하는 안전한 방법
으로 동물들에게 소리 지르지 않
기, 철창을 두드리거나 먹이, 돌,
쓰레기 등을 던지지 않기, 창살
사이에 머리 넣지 않기, 울타리
에 매달리거나 기대지 않기, 우
리 안에 손 넣지 않기, 우리 안에
소지품이 떨어지면 관리자에게
도움을 요청하기, 동물을 만진
후에는 손을 씻고 옷을 세탁하기
등을 들었어요.

4. ④

이 글은 동물원에 가서 안전하게
동물들을 구경할 수 있도록 지켜
야 할 몇 가지 주의 사항을 설명
하는 글이에요.

* 이상: 평소와는 다른 상태.
* 우리: 짐승을 가두어 기르는 곳.
* 위협: 힘으로 으르고 협박함.

설명하는 글   문제 ❺∼❽

1 도시에서 생활하는 친구들은 산과 숲이 멀리 떨어져 있다고 생각하기 쉽지만 그렇지 않아요. 우리나라 지형*을 찍은 위성 지도*를 살펴보면 어디에나 짙은 초록색이 땅 전체에 넓게 퍼져 있어요. 곳곳에 산과 숲이 있기 때문이죠. 우리 주변에 있는 산과 숲.

2 ㉠산과 ㉡숲은 어떻게 다를까요? 산은 평지보다 높이 솟아 있는 땅이에요. 풀과 나무가 울창하게 우거진 곳도 있지만, 나무 한 그루 없는 벌거숭이산도 있지요. 숲은 '수풀'을 줄인 말로, 나무들이 빽빽하게 들어찬 곳을 가리켜요. 숲은 산에도 가꿀 수 있고, 평평한 땅에도 가꿀 수 있어요. 공원이나 건물 사이의 빈 땅에도 숲을 만들 수 있지요. 산과 숲의 차이점.

3 우리나라는 국토의 약 70퍼센트가 산이에요. 작고 낮은 산부터 한반도에서 가장 높은 백두산, 제주도에 있는 한라산까지 높이도 크기도 제각각이지요. 저 혼자 뚝 떨어져 있는 외톨이 산이 있는가 하면, 끊어질 듯 끊어질 듯 이어진 산도 있어요. 산이 연속되어 나타나는 지형을 '산맥'이라고 해요. 우리나라에서 가장 긴 산맥은 태백산맥이고, 길이는 약 500킬로미터예요. 우리나라에 있는 산과 산맥.

4 맨 처음 어떻게 해서 산이 생겨났는지 궁금하지요? 산은 여러 가지 활동으로 만들어졌어요. 아주 먼 옛날 바닷속에서 쌓인 지층*이 서로 밀어내면서 땅덩어리가 불쑥 솟아올라 산이 되기도 하고, 화산이 폭발할 때 나온 용암이 굳거나 화산재가 쌓여 산이 만들어지기도 했어요. 땅속에 있는 마그마*가 땅을 힘껏 밀어 올려서 산이 솟아나기도 했고요. 어떤 방법이든 산 하나가 만들어지려면 아주 오랜 시간이 필요해요. 산이 생겨나는 방법과 시간.

* **지형:** 땅의 생긴 모양이나 형태.   * **위성 지도:** 인공위성을 이용하여 만든 지도.
* **지층:** 자갈·모래·진흙 등이 쌓여 이룬 층.
* **마그마:** 땅속 깊은 곳에서 암석이 지구의 열에 녹아 반액체로 된 물질.

5. ①
산과 숲의 차이점, 우리나라 국토의 약 70퍼센트가 산이며, 산이 어떻게 생기게 되었는지 등에 대해 설명하고 있어요.

6. ④
3문단에서 한반도에서 가장 높은 산은 '백두산'이라고 하였고, 우리나라에서 가장 긴 산맥은 '태백산맥'이라고 하였어요.

7. ③
2문단에서 산은 평지보다 높이 솟아 있는 땅으로, 나무 한 그루 없는 벌거숭이산도 있다고 하였어요. 또 숲은 나무들이 빽빽하게 들어찬 곳을 가리키며, 건물 사이의 빈 땅에서도 만들 수 있다고 하였어요.

8. ③
4문단에서 마그마가 땅을 힘껏 밀어 올리면 산이 솟아난다고 하였어요.

🏃 핵심 요약에 체크해 보세요.

숲과 산을 [□광고하고 / ☑비교하고] 산에 대한 다양한 정보를 [☑설명하는 / □주장하는] 글입니다.

"초등학생 추천 도서 1"

알아두면 도움이 돼요!

• 『초등학생을 위한 나의 라임오렌지 나무』_ 동녘
• 『어린이를 위한 프랭클린 스쿨』_ 살림어린이
• 『치약 짜 놓기』_ 문공사
• 『가난하다고 꿈조차 가난해지지 말자』_ 사회평론
• 『이모의 꿈꾸는 집』_ 문학과 지성사
• 『어린이가 만날 10년 후 세상』_ 녹색지팡이

설명하는 글   문제 ❶～❷

전자책은 '이북(E-Book)'이라고도 하는데 컴퓨터나 스마트폰, 태블릿 등의 단말기를 통해 볼 수 있는 디지털화된 책입니다. 전자책은 컴퓨터나 단말기에 다운로드하여 읽을 수 있어서 '온라인 콘텐츠'라고 부르기도 합니다. 이러한 온라인 콘텐츠에는 전자책 이외에도 여러 가지 자료가 있지만 우리는 도서관에서 주로 전자책을 이용할 수 있습니다.

우리가 도서관에서 책을 빌리는 것처럼 컴퓨터나 스마트폰에서도 책을 빌려 읽을 수 있습니다. 전자책을 빌려보기 위해서는 도서관 홈페이지에서 회원 가입을 먼저 해야 하고, 반드시 로그인을 해야 합니다.

전자책도 종이 책처럼 대출 기간이 정해져 있습니다. 그런데 대출 기간이 지나면 저절로 반납 처리가 되기 때문에 따로 반납을 할 필요는 없습니다. 그리고 전자책은 도서관에 직접 가지 않고도 아무데서나 단말기로 빌릴 수 있어 정말 편리합니다.

핵심 요약에 체크해 보세요.

[□스마트폰 / ☑전자책]이 무엇인지, 편리한 점은 무엇인지를 [☑설명하는 / □주장하는] 글입니다.

1. ③

전자책에 대해 설명하고 있는 글이에요.

2. ②

3문단에서 전자책은 대출 기간이 지나면 저절로 반납 처리가 되기 때문에 따로 반납을 할 필요가 없다고 했어요.

소개문   문제 ❸～❺

안녕하세요, 저는 3학년 ○반 김예진입니다. 지금부터 저희 가족을 소개하겠습니다.

우리 할머니는 나를 무척 사랑하시고, 나를 통통 공주라고 부릅니다. 우리 할아버지는 택시 운전을 하시는데, 할아버지 택시를 타고 바람을 쐬고 돌아오면 기분이 참 좋습니다.

우리 엄마랑 아빠는 회사원이라서 저녁 늦게 집에 들어오십니다. 내 동생 민석이는 말썽꾸러기지만 귀엽습니다. 우리 엄마는 나를 좋아하는 것보다는 민석이를 더 좋아합니다. 그래도 나는 괜찮습니다. 왜냐하면 아빠는 나를 더 좋아하니까요.

마지막으로 우리 삼촌은 이 세상에서 가장 못생긴 아이라며 나를 놀리곤 합니다. 내가 화가 나서 울면 할머니께서는 "통통 공주가 이 세상에서 가장 귀엽고 사랑스럽고 예쁘다는 뜻이여. 삼촌이 거꾸로 말한 게야."라고 말씀하시며 내 편을 들어줍니다.

나는 우리 식구가 다 좋습니다. 아, 참 여러분! 앞으로는 저를 '통통 공주'라고 불러 주세요. 이상으로 소개를 마치겠습니다. 감사합니다.

핵심 요약에 체크해 보세요.

자신의 [☑가족 / □반려 동물]을 친구들에게 [☑소개하는 / □광고하는] 글입니다.

3. 소개

친구들에게 자신의 가족을 소개하는 글이에요.

4. ②

4문단에서 삼촌은 동생이 아닌 나(예진이)를 세상에서 가장 못생긴 아이라고 놀린다고 하였어요.

5. ③

3문단에서 엄마랑 아빠는 회사원이라서 저녁 늦게 집에 오신다고 하였고, 아빠가 나(예진이)를 더 좋아한다고 했어요. 그렇지만 맛있는 요리를 해 주셨다고 말하지는 않았어요.

대화 　문제 ❻~❾

아들: 아빠, 밖에 나갔다 오니 눈하고 목이 너무 아파요.

아빠: 오늘 황사가 심하다고 하던데, 그 때문인가 보구나.

아들: 황사요?

아빠: 그래, 봄의 불청객*이라 불리는 황사 말이야. 황사는 하늘에 떠다니는 누런 색
　　깔의 먼지나 모래 알갱이를 말해.

아들: 황사는 어디에서 만들어지는 거예요?

아빠: 황사는 중국이나 몽골 등 아시아 대륙 중심부에서 발생해서 우리나라까지 온
　　　⁶⁻①
　　단다.

아들: 다른 나라에서 발생한 황사가 어떻게 우리나라까지 와요?

아빠: 중국 내륙과 몽골 지역은 사막과 초원이 펼쳐진 건조 지역*이야. 이곳에서
　　　⁶⁻②
　　봄이 되면 기온이 높아지면서 모래나 먼지가 하늘로 ㉠상승하게 되지. 이 모래
　　나 먼지가 하늘 높은 곳에서 부는 바람을 타고 우리나라로 이동해 오는 거란다.

아들: 황사는 우리에게 어떤 피해를 주나요?
　　　⁶⁻④
아빠: 황사에는 석영, 납 등 우리의 건강을 위협하는 물질이 많이 들어 있어. 이 물
　　질들은 호흡기 질병, 눈병 등을 일으키지. 황사는 공장에도 지장*을 줘. 황사가
　　발생하면 정밀* 기계, 반도체 공장에서 불량률이 높아진단다. 또한 볼 수 있는 거
　　리가 짧아져 비행기가 뜨고 내리는 데에도 지장을 줘.

아들: 그렇군요. 황사는 참 위험한 거네요. 그러면 황사를 없앨 수 있는 방법은 없
　　나요?

아빠: 황사를 완전히 없앨 수는 없어. 어느 정도는 받아들여야 해. 하지만 최근 황
　　사가 더 자주 더 강하게 발생하고 있다는 건 심각한 문제야.

아들: 왜 황사가 더 심해지는 거예요?

아빠: 바다에서 멀리 떨어진, 중국의 내륙 지역이 사막으로 변하는 사막화 때문이
　　야. 초원은 줄고 사막이 늘면서 모래가 많아지고 있는 거지. 최근엔 사막화 현상
　　을 줄이기 위해 우리나라 사람들까지 가서 나무를 심고 있어. 나무를 심는 사람
　　들의 정성이 언젠가는 효과를 볼 수 있지 않을까?

＊ **불청객**: 오라고 청하지 않았는데 스스로 찾아온 손님.
＊ **건조 지역**: 습기 · 물기가 말라서 없는 지역.
＊ **지장**: 일하는 데 거치적거리거나 방해가 되는 것.
＊ **정밀**: 정교하고 치밀하여 빈틈이 없고 자세함.

> 핵심 요약에
> 체크해 보세요.

[□장마 / ☑황사]가 무엇인지, 어떤 피해가 있는지 등에 대한 [☑대화 / □독백]
입니다.

---

6. ③

아빠는 세 번째 말에서 황사가 아시아 대륙 중심부에서 만들어진다고 하였어요(①). 또 네 번째 말에서 봄이 되면 기온이 높아지기 때문에 모래나 먼지가 상승하여 우리나라에 온다고 하였어요(②). 그리고 다섯 번째 말에서 황사에 들어 있는 석영, 납 등이 호흡기 질병과 눈병 등을 일으킨다고 하였어요(④).

7. ①

아빠는 다섯 번째 말에서 황사에 들어 있는 물질들이 호흡기 질병, 눈병 등을 일으킨다고 하였어요. 또 정밀 기계, 반도체 공장에서 불량률이 높아지고, 비행기가 뜨고 내리는 데에도 지장을 준다고 하였어요.

8. ①

아빠는 마지막 말에서 중국 내륙 지역이 사막으로 변하는 사막화 때문에 황사가 더 심해진다면서 우리나라 사람들까지 가서 나무를 심고 있다고 하였어요. 그러므로 나무를 심으면 사막화 현상을 줄여 황사를 줄일 수 있어요.

9. 올라가게

'상승하다'는 '낮은 데서 위로 올라가다.'를 의미하는 말이에요.

어휘력 쑥쑥 테스트　　　**01.** 갈무리　　**02.** 단말기　　**03.** 어휘력　　**04.** 지형　　**05.** 기발하다　　**06.** 초원　　**07.** 지장

동화 　문제 ❶~❷

훈민이네 할머니가 검은 비닐봉지에 쌀을 담았습니다.

"쌀은 왜요?"

"곡식을 담아 두는 뒤주*에 넣으려고."

할머니와 훈민이는 동사무소로 갔습니다. 동사무소 앞에는 커다란 나무 상자 하나가 있었습니다. 할머니가 말씀하신 뒤주였습니다. 할머니는 뒤주 뚜껑을 열고 쌀을 쏟아 부었습니다.

"왜 여기에 쌀이 있는 거예요?"

"어려운 사람들 가져다 먹으라고 있는 거야."

"공짜로요?"

"그래. 이곳에 쌀을 넣어 두면 없는 사람들이 조금씩 가져다 먹는단다."

"애들한테도 가르쳐 줘야겠어요. 편지봉투 정도면 될까요?"

"아이고, 우리 강아지가 기특한 생각을 했구나. 그럼, 되고말고. 양이 중요하겠니? 마음이 중요하지."

할머니는 대견한 듯 훈민이를 바라보았습니다.

1. ②

할머니는 동사무소에 있는 뒤주에 쌀을 넣어 두면 어려운 사람들이 가져다 먹는다고 하였어요. 이를 통해 할머니는 가난한 사람들을 도와주기 위해서 비닐봉지에 쌀을 담아 동사무소로 갔음을 알 수 있어요.

2. ①

동사무소 앞의 뒤주는 어려운 사람들이 조금씩 가져다 먹을 수 있도록 사람들이 갖고 온 쌀을 넣어 두는 물건입니다. 그러므로 뒤주는 자신이 가진 것을 다른 사람과 나누는 것을 의미한다고 볼 수 있어요.

핵심 요약에 체크해 보세요.

훈민이가 할머니와 함께 [□빵 / ☑쌀]을 비닐봉지에 담아 동사무소에 간 이야기를 통해 깨달음을 주는 [☑동화 / □광고문]입니다.

* 뒤주: 쌀 따위의 곡식을 담아 두는 물건.

설명하는 글 　문제 ❸~❹

　조선 시대인 1693년에 안용복은 울릉도 근처에서 고기잡이를 하다가 일본 어부들과 마주쳤어요. 안용복은 일본 어부들을 쫓아내려다가 오히려 납치를 당해서 일본으로 끌려갔어요. 일본에서 안용복은 울릉도와 독도가 조선 땅이라는 것을 확실히 하고, 자신을 납치해 온 것에 대해 항의*했어요. 일본 관리는 안용복의 말이 옳다며 안용복을 돌려보냈지요.

　그런데 일본 어부들은 계속해서 울릉도와 독도 부근에서 고기잡이를 하는 것이었어요. 안용복은 1696년 다시 일본으로 건너가 독도는 조선 땅이라는 것을 강력하게 주장했어요. 결국 일본 정부는 1696년에 "울릉도와 독도는 조선 땅이므로 일본 어민들은 그곳에 가지 마라."라는 명령을 내렸어요.

　일제 강점기 이후 1953년에는 홍순칠 대장을 중심으로 한 울릉도 청년들이 자발적*으로 독도 의용 수비대를 만들어 1956년까지 독도를 지켰어요. 지금은 독도 경비대가 독도를 지키고 있지요.

* 항의: 못마땅한 생각이나 반대의 뜻을 주장함. 　 * 자발적: 스스로 나서서 하는.

3. 안용복

독도를 지키려고 노력한 사람들을 설명하고 있어요. 가장 먼저 조선 시대에는 안용복이, 일제 강점기에는 독도 의용 수비대가 독도를 지켰고 현재는 독도 경비대가 독도를 지키고 있다고 했어요.

4. ④

일본 정부는 1696년에 "울릉도와 독도는 조선 땅이므로 일본 어민들은 그곳에 가지 마라."라고 명령하였어요. 그러므로 일본 어부들이 일본 정부의 명령에 따라 독도 부근에서 고기잡이를 했다고 볼 수 없어요.

핵심 요약에 체크해 보세요.

[☑독도 / □제주도]를 지키려고 노력한 용감한 사람들의 이야기를 [□장소 / ☑시간]의 순서대로 쓴 글입니다.

설명하는 글   문제 ❺∼❼

우리 조상은 꽃을 눈으로도 즐기고 ㉠입으로도 즐겼습니다. 삼짇날*이 되면 진달래 꽃잎을 넣고 찹쌀가루를 둥글납작하게 부쳐서 만든 진달래 화전을 먹었습니다. 오늘날의 프라이팬이라고도 할 수 있는 번철을 돌 위에 올리고 그 아래 불을 피워 화전을 부쳤습니다. 번철 대신 솥뚜껑을 쓰기도 했습니다.

삼짇날에는 진달래 화채도 만들어 먹었습니다. 진달래 꽃잎에 녹말 가루를 묻혀 살짝 튀긴 뒤, 설탕이나 꿀을 넣어 달게 담근 오미자즙에 띄워 먹었습니다.

진달래와 비슷한 철쭉꽃은 먹을 수 없는 꽃이라서 '개꽃'이라고 했지만, 진달래는 먹을 수 있는 꽃이라서 '참꽃'이라고 했습니다. 진달래뿐만 아니라 벚꽃, 배꽃, 매화로도 화전을 만들어 먹었습니다.

그렇지만 모든 꽃을 다 먹을 수 있는 것은 아닙니다. 진달래, 국화, 장미, 금잔화, 삼색제비꽃처럼 먹을 수 있는 꽃을 골라 먹어야 합니다. _{민주가 이해한 내용(○).} 그리고 먹을 수 있는 꽃이라고 하더라도 꽃가루 등에 의한 알레르기를 일으킬 수 있으므로 암술, 수술, 꽃받침을 제거하고 먹어야 합니다. _{소정가 이해한 내용(○).} 특히 진달래는 수술에 약한 독성*이 있으므로 반드시 꽃술을 제거하고 꽃잎만 깨끗한 물에 씻은 뒤에 먹어야 합니다.

우리 조상은 자연에서 나오는 순수한 색소로 찹쌀가루에 물을 들여 화전을 만들기도 했습니다. _{지수가 이해한 내용(○).} 쑥, 시금치, 신감채, 녹찻잎 등으로는 초록색 물을 들였고, 단호박, 치자 등으로는 노란색 물을 들였습니다. 오미자, 복분자로는 빨간색 물을, 보라색 _{유라가 이해한 내용(×).} 고구마로는 보라색 물을, 당근으로는 주황색 물을 들였습니다. 검은깨나 검은콩으로는 검은색 물을 들였습니다.

자연에서 얻은 천연 색소는 음식을 돋보이게 할 뿐만 아니라 재료의 영양이 그대로 살아 있어 건강에도 무척 좋습니다. 이렇듯 화전에는 자연이 준 선물을 음식에 이용한 조상의 지혜가 담겨 있습니다.

＊ **삼짇날**: 음력 3월 3일.   ＊ **독성**: 독이 있는 성분.   ＊ **색소**: 물체의 색깔이 나타나도록 해 주는 성분.

핵심 요약에 체크해 보세요.
우리 조상들이 [□나물 / ✔꽃]을 보는 것뿐만 아니라 먹기도 했다는 내용을 중심으로 꽃 요리에 대해 자세하게 [□주장하는 / ✔설명하는] 글입니다.

---

5. ④

이 글은 우리 조상들이 꽃을 보기만한 것이 아니라 먹기도 했다고 말하며 다양한 꽃 요리에 대해 자세하게 설명하고 있어요. 따라서 '우리 조상들의 다양한 꽃 요리'와 같은 제목이 적절해요.

6. ①

㉠의 바로 뒷문장을 보면 삼짇날에 진달래 화전을 먹었다고 하였어요. 그러므로 입으로 즐겼다는 것은 꽃을 요리해 먹었다는 의미라고 볼 수 있어요.

7. ④

단호박, 치자 등으로는 노란색 물을 들였다고 하였고, 검은깨나 검은콩으로는 검은색 물을 들였다고 하였어요.

"열거법"

알아두면 도움이 돼요!

'열거(列擧)'란 여러 가지 예나 사실을 낱낱이 죽 늘어놓는다는 뜻이에요. 설명하는 글이나 시 같은 문학 작품에서는 내용을 강조하기 위해 같은 계열이거나 비슷한 낱말, 어구 등을 늘어놓는 방법을 쓰기도 해요.

동화   문제 ❶~❷

"왜 벌써 왔어? 다 놀다 온 거야?" 엄마의 물음에 현수가 대답했다.

"다 논 것 같기도 하고 아닌 것 같기도 해요."

"무슨 말이 그래? 무슨 일 있었어?"

엄마가 현수를 돌아보며 대답을 기다렸다.

"그네를 신나게 타고 있는데 다섯 살쯤 되는 아이가 다가오더니 가만히 서 있는 거예요. 그네가 타고 싶은 것처럼요. 아이가 다칠까 봐 그네를 높이 띄울 수도 없고 해서 멈추고, 그네를 타고 싶은지 물었더니 고개를 끄덕거려요. 그래서 할 수 없이 일어났어요. 좀 더 놀고 싶었는데, 그네에서 일어나니 달리 할 것도 없고…… 그냥 집에 왔어요."

현수의 말이 끝나자 엄마는 냉장고를 열어 수박 한 조각을 꺼내 현수에게 주었다.

"그래서 좀 아쉬운 거구나?"

현수는 시원하게 수박을 한 입 베어 먹으며 미소 지었다.

"그래도 기분은 좋아요. 어른이 된 것 같기도 하고."

"맞아, [㉠]를 하면 자신이 더 기분이 좋아. 마음이 커지는 거잖아."

> 핵심 요약에 체크해 보세요.
> 놀이터에서 현수가 아이에게 그네를 [✔양보 / □포기]한 이야기를 통해 우리에게 깨달음을 주는 [✔동화 / □일기]입니다.

---

1. ③

현수는 그네를 타고 싶은 아이에게 그네를 양보하였을 뿐, 그네를 타는 법을 가르쳐 주지는 않았어요.

2. ①

현수는 그네를 타고 싶은 아이에게 그네를 양보하였어요. 엄마는 어린 아이에게 그네를 양보한 현수에게 양보를 하면 마음이 더 커진다고 칭찬을 해 주셨어요.

독서 감상문   문제 ❸~❺

나는 장영실과 같은 과학자가 되는 것이 꿈이다. 장영실은 비록 노비였지만, 자신이 맡은 일에 책임을 다하며 모든 일에 관심을 갖고 자세히 살폈다.

가뭄이 심할 때 현감도 장영실이 어린아이라고 무시하지 않고 그의 말에 귀를 기울였기 때문에 가뭄을 이길 수 있었다. 세종대왕께서도 신분이 낮은 노비인 장영실에게 많은 것을 연구할 수 있도록 해 주었다. 해시계를 비롯하여 자격루라고 하는 물시계, 빗물을 재어 농사일에 도움이 되는 측우기, 강물의 양을 재는 양수표, 금속 활자 등 장영실의 발명품은 자랑스러운 것이었다. 측우기는 서양보다 2세기나 앞서 발명했다고 한다.

관기의 아들로 태어나 사람들의 멸시를 받았으나, 끊임없는 노력으로 우리나라 과학을 발전시킨 위대한 과학자! 수학 공부를 하다가 조금만 어려워도 포기하고 마는 내 자신이 부끄러웠다. 나도 불평하지 않고 끈질기게 공부하고 연구하여 장영실과 같은 역사에 빛나는 과학자가 되고 싶다.

> 핵심 요약에 체크해 보세요.
> [□세종대왕 / ✔장영실]의 삶과 업적을 다룬 글을 읽고 알게 된 점과 느낀 점을 기록한 [✔독서 감상문 / □광고문]입니다.

---

3. ④

장영실은 해시계, 물시계(자격루), 측우기, 양수표, 금속 활자 등을 발명했다고 하였어요.

4. 발명

장영실이 끈질기게 연구하여 발명한 많은 발명품에 대한 이야기입니다. 따라서 '발명의 천재, 장영실'과 같은 제목이 적절해요.

5. ④

장영실은 관기의 아들로 태어나 사람들의 멸시를 받았다고 하였어요.

＊ **현감**: 조선 시대의 지방 벼슬의 하나.

＊ **관기**: 관아에 딸려 춤을 추거나 악기를 연주하던 기생.

＊ **멸시**: 업신여기거나 하찮게 여겨 깔봄.

토의   문제 ⑥~⑩

여우가 친구 두루미를 집으로 초대 ^{6-①}했어요. 여우는 납작한 접시에 음식을 담아 내놓았답니다. 여우는 <u>　㉠　</u> 맛있게 먹는데, 두루미는 하나도 먹을 수가 없었어요.

다음 날, 두루미가 여우를 집으로 초대했어요. 두루미는 목이 기다란 그릇에 음^{6-②}식을 담아 내놓았답니다. 두루미는 맛있게 쪼아 먹는데 여우는 <u>　㉡　</u> 굶고 말았어요.

"너만 맛있게 먹고, 난 하나도 못 먹었잖아!"

그러자 기다렸다는 듯이 두루미가 말했어요.

"어제는 너 혼자 맛있게 먹었잖아!"

이 일 때문에 여우와 두루미는 사이가 아주 나빠졌답니다.^{6-④}

서준: 여우가 두루미를 초대해 놓고 골탕을 먹인 것은 잘못이야. 친구를 초대해 놓고 그러면 안 되잖아. 여우는 정말 나빠.

주희: 그렇다고 여우를 초대해 놓고 복수를 해? 두루미도 나빠.

서준: 여우가 먼저 골탕을 먹였으니까 더 나쁘지. 친구끼리 정말 왜 그랬을까?

주희: 그러면 어떻게 하면 좋을까?

서준: 여우가 두루미를 초대했을 때, 자기 음식은 납작한 접시 위에 담고, 두루미가 먹을 음식은 목이 기다란 그릇에 넣어 주면 되잖아. 그럼 서로 맛있게 먹을 수 있잖아.

주희: 야, 그건 말이 안 돼. 여우네 집엔 목이 기다란 그릇이 없어. 왜냐하면 여우에겐 필요 없는 물건이잖아. 안 그래?

서준: 그러네. ㉢여우와 두루미가 잘 지낼 수 있는 뭐 좋은 방법이 없을까?

핵심 요약에 체크해 보세요.

[□여우와 포도 / ☑여우와 두루미] 이야기를 읽고 그 내용에 대해 친구들끼리 [□설득 / ☑토의]하고 있습니다.

"초등학생 추천 도서 2"

• 나는 열세 살이다 _ 휴먼어린이
• 어머니의 얼굴 _ 상서각
• 세상을 바꾼 위대한 책벌레들 _ 뜨인돌어린이
• 릴리의 눈물이야기 _ 어린이작가정신
• 마법의 설탕 두 조각 _ 소년한길

---

6. ④

여우와 두루미는 서로의 집에 초대를 받았지만 서로가 내놓은 음식을 하나도 먹지 못하는 바람에 결국 사이가 나빠지고 말았어요.

7. ①

㉠의 바로 뒤에서 맛있게 먹는다고 했으므로 음식을 맛있게 먹으면서 내는 소리나 모양을 나타내는 낱말인 '냠냠'이 들어가는 것이 알맞아요. 또 ㉡의 바로 뒤에서 굶는다고 하였으므로, 끼니를 굶어 아무것도 먹지 못한 모양을 나타내는 낱말인 '쫄쫄'이 들어가는 것이 알맞아요.

8. ①

여우와 두루미는 상대방이 음식을 먹는 것에 대해서는 생각하지 않아서 사이가 나빠지게 되었어요. 그러므로 여우와 두루미에게는 상대방을 배려하는 마음이 필요해요.

9. 여우, 두루미

서준이는 여우가 두루미를 초대해 놓고 골탕을 먹인 것이 나쁘다고 했어요. 주희는 두루미가 여우와 똑같이 행동하면서 복수한 것이 나쁘다고 했어요.

10. ④

여우와 두루미는 자기가 갖고 있는 접시와 그릇을 하나씩 바꾸면 서로 편한 그릇과 접시에 음식을 담아 먹을 수 있게 될 거예요.

알아두면 도움이 돼요!

수영이에게

안녕, 수영아!

처음 같은 반이 되어 온 한 해 동안 정말 즐거웠어. 수영아 혹시 기억나니? 네가 새 신발을 자랑하고 있을 때, 나도 모르게 샘이 나서 그만 "어울리지도 않는 그런 신발을 왜 신니?"라며 마음에도 없는 말을 하고 말았지. 그래서 우리 싸우게 되었잖아. 그때 나는 너무 후회했어.

'왜 그랬을까'라는 생각이 계속 들고, 미안한 마음을 숨길 수 없어서 초초해할 때, 네가 다가와 웃으며 괜찮다고, 미안하다고 사과의 말을 먼저 건네주었지. ㉠그때 나는 너무 미안했고 널 보기가 정말 부끄러웠어. 그때만 생각하면 지금도 네게 미안한 생각이 들어.

내가 준비물이 없을 때 빌려주겠다고 먼저 나서고, 내가 곤경에 처했을 때도 곁에서 말없이 도와주는 착한 내 친구, 수영아! 정말 고맙고 내년에 같은 반이 안 되더라도 우리의 우정 계속 간직하며 지내자! 안녕!

　　　　　　　　ㄴㅇ○○년 /ㄹ월 ○일, 너의 친구 진희가

핵심 요약에 체크해 보세요. 친한 친구 [□진희 /☑수영]에게 고마운 마음을 전하는 [[☑편지글 /□기행문]입니다.

1. 진희, 수영

진희가 수영이에게 한 해 동안 고맙고 즐거웠음을 전하는 편지 글입니다.

2. ①

㉠의 바로 앞에서 수영이가 다가와 웃으며 괜찮다고, 미안하다고 사과의 말을 먼저 건네 주었다고 하였어요.

옛날 중국의 춘추 시대에 거문고를 기가 막히게 잘 연주하는 백아라는 사람이 살고 있었어요. 백아가 연주를 시작하면 친구인 종자기는 두 눈을 지그시 감은 채 연주를 들었지요. 아름다운 연주가 끝나면 종자기는 이렇게 말하곤 했어요.

"음악이 어두운 걸 보니, 자네 마음에 걱정이 있군그래."

백아는 연주만 듣고도 자신의 생각을 훤하게 꿰뚫어 보는 종자기가 너무나 좋았어요.

그러던 어느 날, 종자기가 갑작스레 죽고 말았어요. 그 소식을 들은 백아는 눈물을 흘리며 거문고를 부수었어요.

"내 음악을 알아주던 친구가 죽었으니, 이제 무슨 즐거움으로 거문고를 연주한단 말인가. 다시는 연주하지 않을 것이다."

그 뒤 ㉠백아는 죽을 때까지 거문고를 연주하지 않았어요. 사람들은 백아와 종자기의 우정을 가리켜 '소리를 듣고 마음을 아는 친구'라는 뜻으로 '지음'이라고 불렀답니다.

3. 지음, 종자기

사람들이 백아와 종자기의 우정을 가리켜 '소리를 듣고 마음을 아는 친구'라는 뜻으로 '지음'이라고 불렀다고 하였어요.

4. ③

백아가 거문고 연주를 다시 하지 않은 이유는 자신의 음악을 잘 알아주던 친구 종자기가 죽었기 때문이에요.

핵심 요약에 체크해 보세요. 옛날 [□일본 /☑중국]의 백아와 종자기의 [□운명 /☑우정]을 가리키는 말인 '지음'이 만들어진 계기를 설명하는 이야기입니다.

전기문   문제 ⑤~⑧

조지프는 하루 종일 울타리를 고쳤습니다. 하지만 양들은 조지프가 잠시만 한눈을 팔아도 울타리를 넘어 도망갔습니다.

'어떻게 하면 양들이 울타리를 뛰어넘지 못하게 할까?'

조지프는 하루 종일 그 생각만 하였습니다. 그때 양 한 마리가 철사로 만든 울타리와 들장미 가시 넝쿨*로 된 울타리를 번갈아 보았습니다.

"양들은 항상 철사로 만든 울타리만 뛰어넘어. 그리고 들장미 가시 넝쿨이 있는 숲 쪽으로는 한 마리도 도망치지 않았어. 그래, 맞아. 양들은 가시를 무서워하는 거야."

조지프는 당장 숲으로 달려갔습니다. 하지만 울타리에 두를* 가시나무를 구하는 ^{6-③} 것은 생각보다 어려웠습니다.

'철사로 만든 울타리에 가시를 달면 어떨까?'

^{6-①} 조지프는 여러 번의 실험 끝에 두 겹의 철사를 꼬아, 그 사이사이에 철사로 가시를 만들어 끼워 넣은 철조망을 만들었습니다.

과연 조지프의 생각처럼 뾰족하게 가시가 돋아 있는 철조망 쪽으로는 양들이 가지 않았습니다. 몇몇 양들이 그쪽으로 갔다가 철조망 가시에 찔린 후로는 근처에 얼씬도 하지 않았습니다.

철조망 덕분에 조지프는 양을 지키는 일에서 해방될* 수 있었습니다. 그리고 철조 ^{6-④} 망에 대한 소문은 금방 퍼졌습니다. 많은 목장 주인들이 조지프의 철조망을 사러 찾아왔습니다. 조지프는 목장 일을 그만두고 철조망 공장을 세웠습니다. ^{6-②}

조지프가 만든 철조망 때문에 미국 서부의 목장 일은 크게 변하였습니다. 철조망이 공장에서 대량 생산*되어, 아무리 넓은 들판이라도 안전한 울타리를 칠 수 있었습니다. 이 철조망은 목장뿐만 아니라 전쟁터에서도 이용되었습니다. 그리고 지금도 세계 곳곳에서 중요하게 사용되고 있습니다. 물론 조지프는 철조망을 발명하여 ^{6-②} 부자가 되었답니다.

＊ 넝쿨: 땅바닥으로 뻗거나 다른 것에 감겨 오르는 식물의 줄기.
＊ 두르다: 어떤 대상의 둘레를 휘감아 싸다.
＊ 해방되다: 자유롭게 되다.   ＊ 대량 생산: 기계를 이용하여 같은 제품을 많이 만들어 내는 일.

5. 철조망

양을 키우던 조지프가 양들이 울타리 밖으로 나가지 못하게 하려고 고민한 끝에 철조망을 발명했다는 이야기예요.

6. ③

조지프는 숲으로 가서 가시나무를 찾았지만, 울타리에 두를 가시나무를 구하기는 쉽지 않았어요.

7. ④

글의 마지막 부분에서 지금도 철조망은 세계 곳곳에서 중요하게 사용되고 있다고 했어요.

8. ③

조지프는 양들이 울타리를 자꾸 넘어가는 불편함을 해결하고자 고민하다가 철조망을 발명했어요. 또 양들이 들장미 가시 넝쿨이 있는 쪽으로는 가지 않았다는 작은 일에 관심을 갖고 관찰하였어요.

핵심 요약에 체크해 보세요. 철조망을 [☑발명 / □발견]한 조지프의 이야기를 다룬 [□광고문 / ☑전기문]입니다.

안내문   문제 ❶~❷

┌─────────────────────────────────┐
│   ㉠   │
└─────────────────────────────────┘

첫째, 화재가 발생하면 곧바로 119에 전화를 걸어 최대한 간단하고 정확하게 상황을 설명해요. 이때 상황을 보이는 대로 설명해요. 정확한 상황을 알아야 119에서 필요한 인원과 장비를 불이 난 장소로 보낼 수 있어요.

둘째, 정확한 장소와 주소를 알려요. 도로교통표지판이나 이정표*를 참고하고, '○○길'이라는 표지판을 참고하면 도움이 돼요. 주소를 정확하게 알면 소방차가 빨리 도착할 수 있어요.

셋째, 소방서에서 알았다고 할 때까지 전화를 끊지 않아요.

넷째, 소방차가 도착할 때까지 안전한 곳에서 기다리면서 119에서 걸려오는 전화는 바로 받아요. 이때 신고를 한 전화로는 다른 데에 전화해서는 안 돼요.

* **이정표:** 도로 등 길가에 거리 및 방향을 적어 세운 표지. 거리표.

> 핵심 요약에 체크해 보세요.
>
> [□홍수 / ☑화재]가 발생했을 때 해야 하는 행동을 알려 주는 [□동화 / ☑안내문]입니다.

전래 동화   문제 ❸~❹

옛날에 한 농사꾼이 사람 몸집만 한 큰 무 하나를 수확했다. 농사꾼은 이렇게 희귀한 큰 무를 사또에게 바쳐야겠다고 생각하고 사또에게 갔다.

"저는 수십 년 동안 무 농사를 지어 왔는데, 올해는 사람 몸집만 한 무가 나왔습니다. 그래서 이 무를 사또께 바치려고 가져왔습니다."

사또는 농사꾼의 마음씨에 감동하여 하인을 불러 물었다.

"요새 들어온 물건이 있느냐?"

"예, 송아지 한 마리가 있습니다."

사또는 농사꾼에게 그 송아지를 주었다. 그리하여 농사꾼은 무 하나를 바치고 송아지 한 마리를 얻게 되었다.

그런데 '이웃 사람' 하나가 이 소식을 들었다. 그 사람은 '송아지 한 마리를 바치면 논을 얻겠구나.'하는 생각으로 송아지 한 마리를 끌고 사또에게 갔다.

"사또, 좋은 송아지가 나와서 사또에게 바치려고 끌고 왔습니다."

사또는 기뻐하며 하인을 불렀다.

"여봐라, 요사이 뭐 들어온 것 없느냐?"

"요전에 들어온 무밖에 없습니다."

그러자 사또가 말하였다.

"그 무를 이 사람에게 상으로 주어라."

> 핵심 요약에 체크해 보세요.
>
> [□배려심 / ☑욕심]이 없는 농사꾼과 욕심이 많은 이웃 사람의 이야기를 통해 우리에게 깨달음을 주는 [☑전래 동화 / □위인전]입니다.

---

1. ③

이 글은 화재가 발생했을 때 119에 전화를 걸어 신고하는 방법에 대해 안내하고 있어요. 따라서 이 글의 제목으로는 '화재 발생시 119 신고 요령 안내'가 어울려요.

2. ④

신고를 한 전화로는 다른 데에 전화해서는 안 된다고 했어요.

3. (큰) 무, 송아지

농사꾼은 사또에게 큰 무를 바쳐 송아지를 받았어요. 이웃 사람은 송아지를 바쳐 논을 받을 생각을 하고 있었지만 사또는 큰 무를 주었어요.

4. ②

이웃 사람은 송아지를 바치면 논을 얻을 것이라는 욕심을 부리다가 결국 사또에게 무를 받고 말았어요. 그러므로 우리는 이 전래 동화를 통해 지나치게 욕심을 부리면 안 된다는 교훈을 얻을 수 있어요.

주장하는 글   문제 ❺~❾

1 우리는 지구를 깨끗하게 하려고 노력해야 합니다. 왜냐하면 지구는 앞으로도 우리가 살아갈 터전이기 때문입니다. 그런데 우리가 한 번 쓰고 난 뒤에 무심코 버리는 일회용품은 지구를 병들게 합니다. 일회용품은 평소에 사람들이 자주 쓰는 비닐봉지, 일회용 컵, 일회용 나무젓가락 등을 말합니다. 그러므로 지구를 깨끗하게 하려면 일회용품을 덜 쓰는 것을 실천해야 합니다.

> 지구를 깨끗이 가꾸자는 주장의 실천 방안으로 일회용품을 덜 쓰자고 제시함.

2 첫째, 비닐봉지를 적게 써야 합니다. 왜냐하면 전 세계에서 매년 사용하고 버리는 비닐봉지 양이 매우 많기 때문입니다. 이것을 처리하려면 돈이 많이 듭니다. 그냥 두면 없어지는 데 500년이 넘게 걸립니다. 그러므로 물건을 사거나 담을 때에는 여러 번 쓸 수 있는 가방이나 장바구니를 활용해야 합니다.

> 일회용품을 덜 쓰는 방안1: 비닐봉지를 적게 쓰기.

3 둘째, 일회용 컵을 적게 써야 합니다. 왜냐하면 일회용 컵은 쓰기는 간편하지만 낭비하기 쉽기 때문입니다. 이렇게 낭비하면 일회용 컵의 재료가 되는 나무나 플라스틱이 많이 필요하기 때문에 환경을 더 파괴할 수 있습니다. [㉠] 일회용 컵 대신에 여러 번 쓸 수 있는 컵을 사용해야 합니다.

> 일회용품을 덜 쓰는 방안2: 일회용 컵을 적게 쓰기.

4 셋째, 일회용 나무젓가락을 적게 써야 합니다. 왜냐하면 나무젓가락을 만들려면 나무를 많이 베어야 하기 때문입니다. 일회용 나무젓가락은 나무로 만들기 때문에 환경에 피해를 주지 않을 것이라고 생각하기 쉽습니다. 그러나 일회용 나무젓가락을 만들 때 잘 썩지 않도록 약품 처리를 하기 때문에 그냥 두면 20년쯤 지나야만 자연으로 돌아간다고 합니다. 그러므로 여러 번 쓸 수 있는 젓가락을 사용해야 합니다.

> 일회용품을 덜 쓰는 방안3: 나무젓가락 적게 쓰기.

5 우리는 일회용품을 덜 써서 깨끗한 지구를 만들어야 합니다. 지금까지 살펴본 것은 우리가 생활 속에서 실천할 수 있는 일입니다. 이 밖에도 우리가 할 수 있는 일을 찾아보면 여러 가지가 있습니다. 지구를 가꾸는 것은 우리가 모두 해야 할 일입니다. 우리가 함께 노력한다면 깨끗한 지구를 만들 수 있습니다.

> 일회용품을 덜 써서 깨끗한 지구를 만들자고 당부함.

핵심 요약에 체크해 보세요.

우리 삶의 터전인 지구를 깨끗하게 하기 위해서는 [☑일회용품 / ☐개인용 컵]을 덜 써야 한다고 [☑주장하는 / ☐설명하는] 글입니다.

---

5. 일회용품

일회용품을 덜 써서 깨끗한 지구를 만들어야 한다고 했어요.

6. ③

1문단에서 지구를 깨끗하게 하려고 노력해야 하며 일회용품을 덜 쓰자고 주장하고 있어요(①). 그리고 1문단에서 일회용품이 무엇인지 자세하게 설명하고 있고(②), 2문단, 3문단, 4문단에서 일회용품을 덜 쓰기 위해 실천해야 하는 일을 말하고 있어요. 그러나 지구를 깨끗하게 하기 위해 글쓴이가 직접 실천한 일은 설명하지 않았어요.

7. ④

2문단에서 전 세계에서 매년 사용하고 버리는 비닐봉지의 양이 매우 많다고는 했지만, 우리나라 사람들이 비닐봉지를 얼마나 많이 쓰는지는 이야기하지 않았어요.

8. ①

㉠의 바로 앞에서는 일회용 컵을 많이 쓰면 환경을 더 파괴할 수 있다고 하였고, ㉠의 바로 뒤 문장에서는 여러 번 쓸 수 있는 컵을 사용해야 한다고 하였어요. 따라서 ㉠에는 '그러한 까닭으로'라는 의미의 접속어인 '그러므로'가 들어가야 해요.

9. ④

혜원이는 마트에서 산 과일을 일회용품인 비닐봉지에 담아 오지 않고 장바구니에 담아 왔어요.

"전래 동화"

'전래 동화'는 '오래 전부터 전해 내려오는 이야기'예요. 따라서 작가는 알려져 있지 않은 경우가 많고, 주인공들은 처음부터 끝까지 성격이 똑같은 인물로 되어 있어요. 그리고 대부분 착한 사람은 복을 받고 나쁜 사람은 벌은 받는다는 내용을 갖고 있어요.

알아두면 도움이 돼요!

국제* 만화 박람회*에 오신 것을 환영합니다.

1-① 국제 만화 박람회는 만화와 만화 영화의 역사를 알리고 한국과 일본, 미국의 만화 영화 및 다양한 캐릭터를 소개합니다. 개장* 시간은 평일과 주말 모두 오전 11시, 1-④ 폐장* 시간은 평일과 주말 모두 오후 6시입니다. 많은 사람들이 한 장소에 모이기 때문에 안전사고가 일어날 수도 있으니 각별한* 주의 부탁드립니다. 특히 어린이 여러분은 사람이 많은 곳에서 뛰어다니지 말고 떠들지 않도록 주의해 주세요.

국제 만화 박람회를 찾아 주신 모든 분들이 즐겁고 행복한 시간을 보내시기를 진심으로 바랍니다.

* **국제:** 여러 나라를 포함하는 것.   * **박람회:** 온갖 물품을 전시하여 구경하게 하는 행사.
* **개장:** 시설을 갖춰 꾸며 놓고 들어오게 함.   * **폐장:** 극장 등의 영업이 끝남.
* **각별하다:** 마음가짐이나 자세 따위가 유달리 특별하다.

핵심 요약에 체크해 보세요.

국제 만화 [□음악회 / ☑박람회]의 행사 내용과 개장·폐장 시간, 주의 사항 등을 알려 주는 [☑안내문 / □기행문]입니다.

1. ③

1문단에서 만화와 만화 영화의 역사를 알리고 다양한 캐릭터를 소개한다고 박람회의 행사 내용을 밝혔어요. 또 개·폐장 시간도 밝혔어요. 2문단에서 안전사고에 주의하고, 어린이들은 뛰지 말고 떠들지 말라고 주의해야 할 점에 대해서도 안내했어요.

2. 사람

2문단에서 어린이들은 사람이 많은 곳에서 뛰어다니지 말고 떠들지 않도록 주의해 달라고 했어요.

1 지금으로부터 약 2억 3,000만 년 전 지구에는 공룡이 살았어요. 오늘날 알려진 공룡은 약 1,000종이지만, 공룡을 연구하는 학자들은 공룡의 종류가 이보다 훨씬 더 많았을 것이라고 생각하고 있어요. 공룡이 살았던 시대와 공룡의 종 수.

2 공룡이 살았을 때의 지구는 지금보다 훨씬 더 따뜻해서 숲이 엄청 울창했어요. 키가 약 25m, 몸무게가 약 60톤에 달하는 대형 초식 공룡인 브라키오사우루스가 배불리 먹을 수 있을 정도였으니까요. 공룡이 살았을 당시 지구의 서식 환경.

3 바다에는 물고기처럼 헤엄치며 생활하던 어룡이, 하늘에는 큰 덩치와 거대한 날개를 뽐내며 하늘을 날던 익룡이 살았어요. 다른 공룡을 잡아먹고 사는 육식 공룡도 많았어요. 날카로운 발톱과 이빨, 튼튼한 두 개의 뒷다리를 이용하여 다른 공룡을 사냥하던 티라노사우루스 렉스는 가장 잘 알려진 육식 공룡이에요. 다양한 공룡의 종류.

4 학자들은 공룡이 멸종하게* 된 원인을 여러 가지로 말하고 있어요. 가장 설득력*이 있는 것은 지구와 거대한 운석*이 충돌했다는 거예요. 거대한 운석과의 충돌로 지구에 큰 폭발이 일어나 지구 대기*가 순식간에 화산재로 뒤덮였고, 그래서 공룡이 갑자기 멸종하게 되었다는 거죠. 공룡이 멸종하게 된 원인.

* **멸종:** 생물의 한 종류가 아주 없어짐.   * **설득력:** 여러 가지로 설명해서 이해시키는 능력.
* **운석:** 지구에 떨어진 별똥.   * **대기:** 지구를 둘러싸고 있는 기체층. 공기.

핵심 요약에 체크해 보세요.

다양한 공룡의 종류와 이들이 [☑지구 / □우주]에서 갑자기 사라지게 된 이유를 [☑설명하는 / □주장하는] 글입니다.

3. ③

4문단에는 지구와 거대한 운석이 충돌하여 지구에 큰 폭발이 일어났고, 지구 대기가 화산재로 뒤덮였기 때문에 공룡이 멸종했을 것이라는 학자들의 주장에 대해서 이야기하고 있어요. 하지만 지구가 운석과 왜 충돌했는지는 이야기하지 않았어요.

4. ③

3문단에서 티라노사우루스 렉스는 가장 잘 알려진 육식 공룡이며, 날카로운 발톱과 이빨, 튼튼한 두 개의 뒷다리가 있다고 했어요.

희곡   문제 ⑤~⑧

때: 옛날

곳: 어느 왕궁

나오는 인물: 미다스 왕, 공주, 악마

6-③ 미다스 왕은 나라에서 가장 큰 부자였지만 욕심이 너무 많았다.

미다스: ㉠아아, 금이 더 있었으면 좋겠다. 이 세상의 금이 온통 내 것이었으면 좋겠다.

악마: 이토록 금을 많이 가지고도 더 원하시오?

미다스: 그렇소. 나는 내가 만지는 것이 전부 다 금으로 변한다면 소원이 없겠소.

6-② 악마: 좋소. 그럼 이제부터 당신이 만지는 것은 전부 다 금이 되도록 해 주겠소.

6-④ (그때부터 왕이 만지는 것은 전부 다 금으로 변했다.)

미다스: ㉡나는 이제 부자가 되었다. 모든 게 다 금이다.

6-① 공주: 아빠, 저는 이 금으로 된 성이 싫어요.

미다스: 모든 게 금으로 변하니 얼마나 행복하니?

(왕은 다정스럽게 공주를 쓰다듬어 주었다. 그 순간 공주마저도 금덩이가 되어 버렸다.)

미다스: 으흐흐흑! 공주야. 내가 너를 이렇게 만들다니…….

(왕은 눈물을 흘렸고 눈물을 손으로 닦자 왕도 금으로 변해 버렸다.)

악마: 어떻소? 원하는 금을 실컷 얻으니 이제 행복하시오?

미다스: 이 세상에는 금보다 훨씬 귀중한 게 너무나도 많다는 것을 알았소이다. 제발 내 소원을 취소해 주시오.

왕이 후회의 눈물을 흘리자 모든 것이 옛날로 되돌아왔다. 공주도 왕도 옛날의 모습을 되찾았다.

핵심 요약에 체크해 보세요.

재물에 [☐사기심 / ☑욕심]이 많은 미다스 왕의 이야기를 다룬 연극의 대본인 [☑희곡 / ☐토론]입니다.

5. 금, 후회
미다스 왕은 만지는 것을 전부 금으로 변하게 하는 능력을 얻었지만, 금보다 귀중한 것이 많음을 깨닫고 후회의 눈물을 흘리고 말아요.

6. ①
공주는 금으로 된 성을 싫어했어요.

7. ①
미다스 왕은 나라에서 가장 큰 부자임에도 욕심이 너무 많다고 하였어요. 또 미다스 왕은 금이 더 있었으면 좋겠다고 했으므로 욕심이 많다고 볼 수 있어요.

8. ①
㉡에서 미다스 왕은 만지는 것이 전부 금으로 변하기를 원했던 소원이 이루어졌으므로 너무 기뻐하고 있습니다. 그러므로 기뻐하는 표정과 목소리로 하면 더 어울릴 거예요.

[**숨마 어린이**®]는

중·고교 상위권 선호도 1위 브랜드 **숨마쿰라우데**®가 만든
초등학생들을 위한 혁신적인 **초등 브랜드**입니다!

초등국어 **독해왕** 시리즈 (수준별 1~6단계)

"초등국어 독해왕" 시리즈는
교사·학부모님들의 의견을 적극 반영하였습니다.

의견 1 다양한 종류의 글을 읽히고 싶어요. 설명문, 논설문, 전기문, 동화, 동시, 생활문, 기행문 등 다양한 장르의 글과 인문, 사회, 과학, 예술 등 다양한 제재의 글이 모여 있는 책이 있으면 좋겠어요.

의견 2 평소 책을 좋아하지 않는 아이도 쉽고 재미있게 글 읽기 훈련을 할 수 있는 책이 있으면 좋겠어요.

의견 3 글 읽기를 20~30분 짧게 집중해서 하고 잘 이해했는지를 점검할 수 있는 문제집이 있으면 좋겠어요.

의견 4 글 읽기에서 어떤 부분이 부족한지, 또 어떤 종류의 글 읽기를 좋아하고 싫어하는지 판단할 수 있었으면 좋겠어요.

의견 5 글 읽기의 핵심인 글 전체의 주제나 요지 파악, 제목 찾기 등을 쉬운 단계부터 차근차근 훈련이 가능한 책이 필요해요.

의견 6 혼자 집에서 조금씩 꾸준하게 공부할 수 있도록 학습 계획(스케줄)을 쉽게 짤 수 있는 교재가 있으면 좋겠어요.

의견 7 아이를 지도하기에 편하게 해설이 자세한 독해 연습서가 있으면 좋겠어요.

이룸이앤비로 통하는
HOT LINE

CALL
02) 424 - 2410

FAX
070) 4275 - 5512

INTERNET
www.erumenb.com

E-MAIL
webmaster@erumenb.com

이룸이앤비의 특별한 중등 국어교재 시리즈

숨마 주니어® 중학국어 어휘력 시리즈

중학교 국어 실력을 완성시키는 **국어 어휘 기본서** (전3권)

- 중학국어 **어휘력 ❶**
- 중학국어 **어휘력 ❷**
- 중학국어 **어휘력 ❸**

숨마 주니어® 중학국어 비문학 독해 연습 시리즈

모든 공부의 기본! 글 읽기 능력을 향상시키는
국어 비문학 독해 기본서 (전3권)

- 중학국어 **비문학 독해 연습 ❶**
- 중학국어 **비문학 독해 연습 ❷**
- 중학국어 **비문학 독해 연습 ❸**

숨마 주니어® 중학국어 문법 연습 시리즈

중학국어 **주요 교과서 종합!**
중학생이 꼭 알아야 할 **필수 문법서** (전2권)

- 중학국어 **문법 연습 1** 기본
- 중학국어 **문법 연습 2** 심화

> 이룸이앤비
> 책에는 진한 감동이
> 있습니다

http://www.erumenb.com

이룸이앤비

* 중학수학 교재는 적용 교육과정에 따라 계속 출간 예정